De optocht

Ander werk van Toon Tellegen

Theo Thijssenprijs 1997
Hendrik de Vriesprijs 2006
Constantijn Huygensprijs 2007

Er ligt een appel op een schaal (gedichten, 1999)
Minuscule oorlogen (gedichten, 2004)
Raafvogels (gedichten, 2006)
Hemels en vergeefs (gedichten, 2008)
Stof dat als een meisje (gedichten, 2009)
Schrijver en lezer (gedichten, 2010)

Toon Tellegen

De optocht

Verslag van een ooggetuige

Amsterdam · Antwerpen
Em. Querido's Uitgeverij BV
2012

Omslag Brigitte Slangen
Binnenwerk Hannie Pijnappels

ISBN 978 90 214 4596 0 / NUR 306
www.querido.nl

Kijk, daar komen mensen aan.
Ze denken dat er geen muren zijn, geen valkuilen, geen dodelijke
omhelzingen op het midden van onze weg.
Pats!
En daar komen auto's, fietsers, spreeuwen, muggen.
Pats!
Daar komen vrouwen, gedreven door lichtzinnigheid en
plotselinge opwellingen, hun lippen rood van begeerte, hoor ze
roepen hoe onweerstaanbaar zij zijn: 'Wij zijn hier! Wij zijn nu!
Wij zijn alles!'
Pats!
Daar komen mannen, met hun pijnlijke tekortkomingen en
luchtkastelen, hun schrikbeelden en stemmingmakerij, hun
zenuwtrekkingen en zelfbedrog, hun tomeloze aanvechtingen en
opzettelijke misrekeningen, ze rapen al hun moed bij elkaar om
raadselachtig om zich heen te kijken.
Pats!
En daar komen kinderen, ze zijn zo doorzichtig en zo
ingewikkeld... hoor ze zingen dat ze groot zullen worden en
grimmig en hun verstandelijke vermogens in dienst zullen stellen
van rijkdom en genot.
Pats!

Daar zijn zij die nergens meer voor in aanmerking komen, de armlastigen, de halsstarrigen, de hemeltergenden, de zenuwslopenden, de tijdrovenden en de strijdlustige en onverzadigbare geestdodenden, zij die voortekenen in de wind slaan en zich tot bloedens toe vervelen.

Pats!

En dat daar zijn de bemoeizieken, de bijkomstigen, de gramstorigen, de kunstmatigen, de onvolwaardigen, de onderbelichten en zij die met ontluisterend geweld hun onsamenhangendheid etaleren.

Pats!

Daar zijn de bewierookten en verheerlijkten, die hun handen wel ten hemel willen heffen, hun hart wel willen luchten en hun denken wel willen ontdoen van de klamme restanten van hun ziekelijke schuldbesef en zelfverachting.

Pats!

En kijk, daar zijn de welbespraakten, zie hoe levendig ze omhoogklimmen langs andermans knieën en naar andermans navels staren, de jezuïeten van de wansmaak.

Pats!

Daar komen de onwelvoeglijken, de inhaligen, de heerszuchtigen, de kieskeurigen, de weerbarstigen, de afvalligen, de licht ontvlambaren en de tumultueuzen, en daar de weifelaars en de afgematte kleingelovigen, met hun primitieve sentimenten en zondagse migraine, zij die zichzelf het voorrecht ontzeggen wrang en ontgoocheld te zijn en die hun toevlucht zoeken in bijzaken en schaduwzijden.

Pats!

Daar komen zij die eens jong en veelbelovend waren en nu zonder uitleg worden afgedankt, in hun lange, zwabberende jassen, zij die een toekomst van schuchterheid en onvermogen voorspellen – 'en geen vreugde,' roepen ze, 'ook niet na de dood!'

Pats!

En kijk, daar, op die wagen, liggen een jongen en een meisje in het hooi, het meisje kijkt omhoog, en luister, ze zucht: 'Ik weet het niet, maar jij bent zo...' en de jongen klimt van haar af, springt van de wagen en holt weg.

Pats!

En het meisje holt hem achterna: 'Maar ik was toch je Stille Oceaan, ik was toch je deining, je vliegende storm, je huizenhoge golven, je zou toch met man en muis in mij vergaan?'

Pats!

Daar loopt een man die rücksichtslos in God gelooft en zachtjes prevelend peutert aan de grijze littekens van zijn wangedrag.
Pats!

En daar, daar gaan de hovaardigen, de uiterlijk vertoon najagenden en de tot op het bot verdeelde zoutzakken en zeurkousen, die hun licht met ingebeelde ergernis onder de korenmaat laten schijnen – zij beseffen niet met hoevelen zij zijn.
Pats!

Daar gaan zij die met speelse schroomvalligheid de weelde van hun voorspoed dragen, zwierend op hun goud gebiesde, met kwartskristallen opgesierde spillebenen, meewarige blikken werpend op hun naasten, die tot hun middel door het malafide afval van de welvaart waden en zachtjes 'help' roepen, 'help me toch', 'waarom helpt niemand mij?'
Pats!

En daar komen zij die menen dat diepzinnigheid sterker is dan overredingskracht, waardigheid sterker dan overmacht, zuinigheid sterker dan geestdrift, meegaandheid sterker dan zelftucht, lotsverbondenheid sterker dan gewetenswroeging, en vlijt sterker dan ontzag, ze strelen elkaar peinzend en onnadrukkelijk, aanschouwen en loven elkaar tot zij tranen voelen opwellen en vlug aan iets anders denken, iets weerzinwekkends en toch begerenswaardigs, en tussen hun tanden vloeken en kokhalzen van elkaar.
Pats!

Daar komen de opdringerigen, de hardleersen, de doortrapten, de tegenvallenden, de niet ter zake doenden, de koudbloedigen, de oeverlozen, de uitgestrekenen, de niets betekenenden, de omslachtigen, de langdradigen, de ontoeschietelijken, de onvriendelijken, de onvrijwilligen, de dubbelzinnigen, de schatplichtigen, de grensoverschrijdenden, de ontoereikenden en zij die zichzelf te vuur en te zwaard verwaarlozen.

Pats!

Daar zijn de ongezeglijken, de onberekenbaren, de onbuigzamen, en de tegendraadsen, zij die zich stijlvol vergalopperen en met ontwapenend misbaar hun flagrante wanprestaties verdedigen, puffend van ongemak, de heetgebakerde profeten van de zelfdestructie.

Pats!

En kijk, daar, in die bloeiende meidoorn, een klapekster, gemaskerde despoot zonder onderdanen, met naast hem een veldmuis aan een doorn geprikt, nog zachtjes piepend – welke nimf, welke wraakgodin of welke furie is er in zijn vogelbrein geïncarneerd? Hij dommelt, zijn snavel tussen zijn veren, hij heeft alle tijd van de wereld, hij weet niet dat

Pats!

Daar zijn de noodlottigen, de achtergestelden, de tweeslachtigen, de strikt afhankelijken, de bevooroordeelden, de zich onophoudelijk verontschuldigenden, de onwelwillenden, de karakterlozen, de gezagsondermijnenden, de hemelschreienden, de herhaaldelijk gewaarschuwden, de bedaagden, de gezapigen, de vermolmden, verlepten en verschraalden, de bedeesden, de ontwijkenden, de zorgwekkenden, de angstvalligen, de wanstaltigen, de neerslachtigen, de honds behandelden en zij die stroef en ontmoedigd door het leven gaan.

Pats!

En daar, daar komt nog een hijgerige, zojuist door zijn bewonderaars aan zijn lot overgelaten oude man, het meelijwekkende boegbeeld van de onverdraagzaamheid, flakkerend als een nachtkaars in de dageraad, hij valt, hij kan niet meer, 'Ik kwijn,' roept hij, 'ik kwijn zienderogen weg!' Hij ligt erbij als een rotte aardappel in een sloot, maar hij staat op, hij wil nog niet omkomen, 'Althans niet zó...!'

Pats!

Zijn voormalige bewonderaars draaien zich om, zien hun voorland, vernielen hun kortzichtige kleren, trekken hun schreeuwerige haren uit hun hoofd, vallen op hun onvertogen knieën en zingen met overslaande stem: 'Het leven is laakbaar, het leven is zo voos...'

Pats!

Daar komen de onschuldigen, de onzelfzuchtigen en de ongekunstelden, en daar de onzuiveren van geest en de gratis inwisselbaren, zij die hun tijd verdoen met dweepzucht en geborneerdheid, de oververhitte, stuurloze en van het dagelijks leven losgezongen tweederangs ruziezoekers, die zichzelf kwellen met argwaan en ongeloofwaardigheid, de onooglijken die met hun omhaal van woorden vertrouwen beschamen, bewijzen ontkrachten en rekeningen meesmuilend vereffenen met hun weerloze onderhorigen.

Pats!

Daar zijn zij die het verlorene zoeken en deernis vinden te midden van overvloed en nalatigheid, en daar de doordrijvers en de onverdraaglijke dikdoeners, met hun onzinnige theorieën over het op handen zijnde einde van de mens als biologische soort: spiraalvormige ziektekiemen, die nu nog reikhalzend hun kans afwachten in de buitenste lagen van de atmosfeer, zullen zijn denkpatronen aantasten en zijn gewetensfuncties vernietigen met een onleefbaar soort onmenselijkheid als onontkoombaar gevolg – de laatste mensen zullen pruttelen en sudderen als dobbelsteentjes spek in een Vlaamse stoofpot op een fornuis.

Pats!

En daar zijn de beroemde moederskindjes, over wie het laatste woord nog niet is gesproken, die de vermoorde argeloosheid uithangen met hun wetten en wetmatigheden en hun stiekeme gewroet in de wellevendheid, de voorhoede van de gevestigde minachting, ze maken omtrekkende bewegingen, zoeken hun moeder, roepen haar, bezweren haar... vlaggen op modderschuiten, wapperend in de vergeefse wind.

Pats!

Daar komt een man die de dood onder ogen wil zien, hoor hem schreeuwen: 'Waar ben je? Waarom vertoon je je niet? Je bent mijn dood. Denk je dat ik voor jóú terugdeins? Mijn zekerheden heb je al. Sentimentele hond die je bent! Dit is een touw! Dit is vergif! Dit is mijn strot! Of wil je een bijl of een geweer? Jij weet toch hoe het moet? Waar is die grote, tandeloze, kakelzieke en altijd wijd open mond van je nu? Geen trek soms? Te levensvatbaar, ik? Ik wil nu sterven. En met nu bedoel ik nu!' Pats!

Daar komen de noodlijdenden, ontelbare, die hun schaduw ver vooruitwerpen, die zichzelf hebben verrijkt en zich met hun tanden op elkaar hebben vertild aan onwaarachtige voorwendselen, die ruiken naar bedorven wierook en de mond vol hebben van de teloorgang van tederheid, wier stemmingen van uur tot uur wisselen, wier verwachtingen een hoge vlucht hebben genomen en zonder uitzondering allemaal zijn neergestort, die elkaar hebben opgehitst en afgesnauwd, vluchtpogingen hebben gewaagd en op al hun voornemens zijn teruggekomen, en die achter hun hand, met hun ogen dicht, zachtjes kermen van teleurstelling en machteloosheid. Pats!

Daar komen zij die zelfbewust en luid zingend op weg zijn naar
hun eerste wandaad, hun eerste leugen, hun eerste uitvlucht, hun
eerste hatelijke terzijde, hun eerste wrok, hun eerste
wraakoefening, hun eerste plichtsverzuim, hun eerste
krokodillentranen, hun eerste valse beschuldiging, hun eerste
zwaktebod en hun eerste vurige wens liever dood te zijn dan
Pats!
En daar komt de onschuld in eigen persoon, zo gelijkmoedig en
zo delicaat, in zijn dunne, tot de naad versleten jas, een glimlach
rond zijn kapot gekuste mond, het leven kolkt om hem heen,
zij beven van schrik en vervoering, en toch, toch is ook hij
een kleine, ontaarde huichelaar, een weloverwogen judasje dat
zijn onwankelbaarheid moeiteloos loslaat en als een ballon tussen
de wolken ziet verdwijnen.
Pats!
Daar komt een man die zijn hersenen afpijnigt, maar niet weet
over wat, die termijnen heeft laten verstrijken, ontmoetingen
heeft vermeden, vriendschappen heeft verspeeld, kansen heeft
laten liggen en nu zichzelf vakkundig ontmantelt en wenend ten
onder gaat in de schemering van een dag als elke andere, het leven
heeft zijn lusten botgevierd op hem, zal zijn vertier nu bij een
ander vinden.
Pats!

Daar komen zij die niemand dank verschuldigd zijn, de
achtelozen van geest, die neerzien op medeleven en
zelfverwijten, die afzien van euforie en verzachtende
omstandigheden en die hun illusies links laten liggen in de gierput
van hun herinnering, waar mislukte kinderen – de gier tot hun
lippen – schreeuwen om hulp of wat dan ook: genade, God,
geluk, gezag, goedertierenheid, geestverwanten, grootspraak,
geld.
Pats!
En daar, die mannen in imitatieleren jassen, een wellustige blik
op hun uitgeloogde gezichten, dat zijn de opsporingsambtenaren
van de verbeelding, de omstreden aanstichters van de geleide
middelmaat, de onbedreigde alleenheersers over het imperium
van de proefondervindelijke volgzaamheid, zij hebben
dwangbevelen bij zich, zij komen wegmaken, neerhalen,
dichtslaan, afschrijven, uitsluiten, ontkennen, onderdrukken en
verzieken.
Pats!
Daar komen de bedrieglijken, de bedroefden en de benarden, die
hun hoop hebben gevestigd op een klein, maar gestroomlijnd,
waardevast en esthetisch verantwoord bloedbad, dat zij
eigenhandig een halt zullen toeroepen, een beate grimas op hun
gelaat, zij die zich verslikken in onbesuisde wanorde en
onberedeneerde bezetenheid, gladde sluipmoordenaars,
zelfrijzende betweters, lasterlijke ratten, luister, dit is hun woord:
Pats!

Daar zijn zij die geen afscheid kunnen nemen, geen beloftes
kunnen breken, geen eenvoud kunnen ontwaren in vergetelheid
en die gevatheid verwarren met baggeren in een moeras.
Pats!
Daar komen de zelfgenoegzamen, de hoogdravenden, de
onbarmhartigen, de zichzelf schromelijk overschattenden, de
hardvochtigen, de slechtgezinden, de zorgbarenden, de
plechtstatigen, de overdadigen, de achterhaalden en de
verslonsden en aan bravoure en grootheidswaan verknochten, ze
bereiden tegenslagen en verschrikkingen voor, ze verzamelen
overmoed en roekeloosheid, vervreemding en godvruchtigheid,
gewetenloosheid en waarheidsliefde, tegenspoed en
oninvoelbaarheid, ze zwaaien met vaandels en kleine, digitaal
geladen snelvuurwapens, ze weten hun plaats niet, hun plaats is
hier:
Pats!
Daar zijn de onheilspellenden, de ijzingwekkenden en de
angstaanjagenden, zij die niets goeds doen vermoeden, in hun
lichtgevende lompen en doorschijnende ondergoed, hun ellebogen
bot van wanvertoon en onmaatschappelijkheid, waren ze ooit
maar verdronken in een wak in hun stijf bevroren eigendunk!
Pats!

Daar zijn zij die zich gemachtigd achten in gebed verzonken gelovigen te kleineren en van dwanggedrag te betichten, hun god te belasteren, hun onbegrip te smoren en hen, met alle voorkomendheid die daarbij past, te begeleiden naar de finale vernedering die hen wacht, de ideologen van de geruisloze ontvolking.

Pats!

Daar zijn de uitgeslotenen, de afgewezenen, de in het nauw gedrevenen, de geleidelijk achteropgeraakten, de geteld, gewogen en te licht bevondenen, de in hun bloei geknakten en zij die zich in hun diepgewortelde wezenloosheid elke nacht onbedoeld iets onvergeeflijks aandoen.

Pats!

En daar komen zij die zich afzonderen en hun meningen voor zich houden, kleine huisdieren in het donker mishandelen en op broeierige avonden zichzelf verwennen met afgunst en vastberadenheid, kijk, ze lijken zich weer gereed te maken iemand een genadeklap te geven, het liefst terloops en ogenschijnlijk ongewild, ze kijken om zich heen, zoeken een willig slachtoffer, likken hun hebberige lippen af, krabben in hun vreugdeloze kruis en zien geen hond over het hoofd, de laffe lakeien van de apathie.

Pats!

Daar komen de smettelozen, de vlekkelozen, de half-, kwart- en honderdste goden en al diegenen die menen dat zij verloren zonen zijn en met open armen zullen worden ontvangen door de minste onder ons, alsof wij het beste met ze voor moeten hebben en onszelf moeten wegcijferen, zie hoe gul en absurd ze naar ons lachen, de fine fleur van de zelfoverschatting. Pats!

En daar, daar komen de onaangenaam getroffenen, zij die eens de doodgemoedereerdheid in levende lijve waren, nu lijken het wel raven, zwartgeblakerd en aan de hel ontsnapt, wat hebben zij elkaar niet allemaal voorgespiegeld! Pats!

En daar gaan zij die nog slechts een schaduw zijn van zichzelf, kijk, hoe kenmerkend zij zich verbijten en luister, hoe dof en levenloos zij dat woord, dat grappige, onafhankelijke, stuntelige, afschuwelijke, indrukwekkende, veelbetekenende, schandalige, altijd en overal inzetbare, turbulente, glanzende, uitzonderlijke, roofzuchtige, vreesaanjagende en intens verdrietige woord, nog voor zich heen murmelen dat zij eens uitschreeuwden van woede en opgetogenheid: 'Ik... ik... ik... ik...', ze zijn te moe om nog langer onbevangen te leven en nóg onbevangener dood te gaan. Pats!

Daar zijn de ongenaakbaren, de ongenietbaren en de schaamtelozen in hun nonchalant openhangende, saffraangele kamerjassen, zij die koortsachtig wachten op de verlichte lustbelevingen die hun zijn toegezegd, kijk, zij hebben zich onthaard en met rozenblaadjes ingewreven, zij walmen van hoogmoed en praalzucht, zijn onderhuids al onderhevig aan afbladdering en bederf, gesoigneerde kadavers in de dop.
Pats!
Daar komen zij die niet te versmaden zijn, leidinggevende hedonisten, voor wie deuren worden ontsloten, bedden worden opgemaakt en dikke, naar bleekwater geurende, cementkleurige en vroegtijdig verouderde vrouwen zich nog eenmaal gretig ontkleden, van onderen wassen en een klein, druipend kaarsje ontsteken, de smeuïge voorbodesvan de universele, als een wervelwind voortrazende, alles op zijn weg verwoestende genotzucht.
Pats!
Daar zijn zij die zich plotseling weer herinneren dat zij niet meer willen leven en elkaar hebben beloofd de dood altijd één stap voor te zijn – ze hebben het beloofd! Ze trekken aan elkaars mouwen, klampen zich aan elkaar vast: 'We hebben het beloofd! We hebben het daadwerkelijk beloofd!' Maar van beloven naar de dood loopt een smalle weg met halverwege een vaart die voor de gemiddelde mens onoverbrugbaar is, en ze laten hun hoofd zakken en worden grijs en lachwekkend.
Pats!

Daar zijn de geloofsgetrouwen, zij die al flauwvallen bij de
gedachte dat God misschien een meisje is dat hen naar zich
toe trekt, haar hand op hun achterhoofd legt, zachtjes in hun nek
kriebelt en hen met het puntje van haar tong daar aanraakt, een
pril, nog maar net ontluikend meisje met witte kousjes en rode
schoentjes met gespen en ronde punten, een krans van
wilgenroosjes in haar haar en poezelige vingers die gedachteloos
langs hun buik naar beneden kruipen, wijsvinger, middelvinger,
wijsvinger
Pats!
Zijn hand! Zijn ontegenzeggelijke, immanente, scholastieke, door
desillusies hermetisch kromgetrokken hand!
Pats!
En daar zijn de geduldigen, de berustenden, de innemenden, de
onverstoorbaren, de hoffelijken, de gepolijsten, de
verdraagzamen, de gematigden, de stilzwijgenden en de
verzorgde, welopgevoede en waarachtig zachtmoedigen, zie ze
hun pas inhouden, als salonfähige doden aan de oever van de
Styx, die een bloemetje hebben meegebracht voor Charon:
'Neemt u ons niet kwalijk, maar wat een allercharmantst bootje
hebt u, zelf geteerd? U zult het wel druk hebben, wat aardig van u
om ons over te varen, dit is voor u, schuin afknippen' – en die
vrouwen altijd laten voorgaan.
Pats!

Daar zijn de gemakzuchtigen, de goedgelovigen, de nietsvermoedenden, de wanordelijken, de wisselvalligen, de wijdlopigen, de zich ongemakkelijk bewegenden, de besmuikten en zelfverzekerden, de aanmatigenden, de onuitstaanbaren, de loszinnigen, de in het nauw gedreven lankmoedigen met hun slaapverwekkende toekomstverwachtingen en de tegenstribbelende halfslachtigen met hun jammerlijke gezichtsverlies, zij die als een beduimelde anjer in het knoopsgat van een afgedragen streepjespak verwelken en niet voor verbetering vatbaar zijn, de haveloze hulpkrachten van die drie verstokte tirannen: onechtheid, onvermurwbaarheid en onwellevendheid.

Pats!

Daar komen de genoegdoeningzoekers en al diegenen die makkelijk praten hebben en denken dat zij gevrijwaard zijn van moeheid en gunstbejag, van eigengereidheid en verwondering, van walging en wankelmoedigeid, van wraakgevoelens en eerzucht, zie ze glunderen en omstandig aan elkaar snuffelen, ze verrassen hun kennissen met schone schijn en een vrolijk, roodkoperen cupidootje, ze zijn maar al te gaarne bereid, op bestelling, een ongebruikelijk misdrijf te plegen en dat publiekelijk op te biechten en luidruchtig te betreuren.

Pats!

Daar komt een man zonder achtergrond, een man an sich,
onbemind, onbekend en ongelijk voor elke wet – zo overtollig en
zo onthecht – die mompelt: 'Ik ben te zwak voor de dood, ik ken
zijn voorwaarden niet, zijn tegenwerpingen, zijn ondertoon, help
me toch...' en iemand achter hem zegt: 'Loop maar door.'
Pats!
Daar komen zij die fanatiek in vooroordelen en gerechtelijke
dwalingen geloven en met het vuur van hun verontwaardiging
intriges, laaghartigheid en hypocrisie rechtvaardigen opdat niets
en niemand ooit nog ergens mee in het reine komt en geen
gerechtigheid ooit nog wordt wedervaren.
Pats!
Daar komen de evangelisten van de beginselvastheid met hun
valstrikken en harteloosheid, zij die hun tegenstanders de mond
snoeren met honing en vlugzout, met dreigbrieven en gefleem,
met gekmakende spelletjes en martelende onzekerheid, ze komen
dichterbij, ze denken dat ze van het leven genieten en weergaloos
gelukkig zijn, hoor ze zingen: 'De dood is doorwaadbaar, het
leven generzijds...' Ze zijn zo anders, zo schamper en zo
onschendbaar...
Pats!

Daar zijn zij die vreemdelingen als stofjes van zich afslaan, die
het recht – al het recht – in eigen hand nemen en die de
zekerheid koesteren dat zij uitverkoren zijn: een slechte afloop is
iets voor anderen, zie hoe aanstekelijk ze grijnzen en hoe lenig ze
de onbevoegden en ontoelaatbaar verklaarden achternazitten, de
morsige buitenstaanders met hun slonzige hypotheses en
afgekloven vooronderstellingen die zij – die buitenstaanders – in
de fletse krochten van hun zielloosheid huldigen, zie ze
ginnegappen, de huilerige aaseters van de vooruitgang.
Pats!
En dat daar, dat zijn de geniale grondleggers van de
democratische onvrede, de vooruitgeschoven voorposten van de
evenredige onderdrukking en de parlementaire dorst naar bloed
en razernij, zij staan op kleine, snel zelf in elkaar geflanste
kanseltjes, ze schreeuwen: 'Lichtgeraaktheid nu!' Iets moet
ze schokken, moet ze kwetsen, moet ze proberen los te
wrikken en weg te vagen, maar wat? Misschien een klein,
zoetgevooisd, maar eigenzinnig deusje ex machina? Maar
dan wel een met een ijzersterk zenuwgestelletje! Ah,
daar is het al, wollig en wel:
Pats!
En daar komen zij die blootsvoets en omzichtig om zich heen
turend, murw van wanverhoudingen, dwanggedachten en
onverzoenlijkheid, hun hoofd, hun grote hoofd, hun kolossale
hoofd boven het
Pats!

Daar zijn zij die moe zijn van hun mededogen en ongeneeslijke onbaatzuchtigheid, die geen rots maar rotzooi in de branding willen zijn en die verveling zoeken en een geloof waar ze op kunnen klimmen en veilig weer van af kunnen vallen, als kleuters van een hek.

Pats!

En daar komen zij die als los zand aan elkaar hangen, de godgeklaagden en onmatigen, de naargeestigen en onwilligen, de omfloersten en onpersoonlijken, de smoezeligen en onvoorspelbaren, de wettelozen en onwelgevalligen, zij die hun bloedeloze neus ophalen voor weemoed en zenuwachtigheid, en die kiesheid niet herkennen als zij erover uitglijden en in de goot belanden aan het eind van een doodlopende straat.

Pats!

Daar komen zij die hun vijanden liefhebben, ontwapenen, neersteken en heilig verklaren en die snikkend en met trillende vingers een pen in hun nog dampende bloed dopen om er een brandbrief mee te schrijven aan God, waarin zij hem de Aanwijsbare Reden noemen en wanhoop zijn Meervoudige Verklaring.

Pats!

Daar komen de elegante, door subjectiviteit en betrekkingswanen achtervolgde filosofen die onafgebroken met elkaar overleggen, zonder ooit tot overeenstemming te zullen komen – zij weten dat maar al te goed – wie van hen zijn onsterfelijkheid aan de waarheid ter beschikking zal stellen, hoor ze hun gedachten onder woorden brengen – het lijken wel aangeschoten scholeksters in een pas gemaaid weiland: 'kom hier! kom hier! kom hier!' – zogenaamd bezonken denkkanonnen, wegbereiders en waakhonden, die in hun postlogische manifesten het leven beschouwen als een vooralsnog onopgehelderd, eclectisch en tamelijk triest onderonsje tussen twee wegens verregaande incompetentie ontslagen ambtenaren, die waren aangesteld om denkbeeldige meningsverschillen aan te wakkeren, uit te vergroten en onder de massa te verspreiden ter meerdere glorie van de aan lager wal geraakte en desondanks toch nog almachtige god van de waanzin en zijn dysfore trawanten.

Pats!

Daar komen zij die het verschil niet weten tussen leven en dood en die betwijfelen of dat verschil er wel is. 'Wij zijn stakkers,' roepen zij, 'lichtschuwe stakkers', ze slaan hun handen voor hun gezicht, 'wij zijn de wankele sluitposten van het ondenkbare.'

Ze grommen, snotteren, snuiven en hun opstandige kinderen en kleinkinderen horen hun geraaskal en lopen achter hen aan, willen hen van hun wanen en uit de hand gelopen gevoelsstoornissen bevrijden, roepen: 'Luister! Uw tijd is nog niet gekomen!' en zij versnellen hun pas en roepen terug: 'Dat zullen wij nog wel eens zien...!'

Pats!

Daar komen zij die willens en wetens de zin van het leven uit het oog hebben verloren, die zich nog ergens aan moeten bezondigen – een kleinigheid – voor ze plompverloren, maar tot in de puntjes gekleed, schouderophalend en in wezen zelfverkozen zullen sterven, die over elkaar roddelen, elkaar desgewenst uitmaken voor jaknikkers en dégénérés en elkaar voorzichtig in hun armen nemen, de boven alle verdenking verheven pleitbezorgers voor krampachtigheid en zelfbescherming, de grondwettige herauten van de muisstille minderheid, hoor ze roepen: 'Wij zijn bijna zover! Wij zeggen zelf wel – hoe gaat het ook al weer? – Ppppp...'
Pats!
En daar komen zij die uitsluitend belachelijke dingen zeggen, een zwaard boven het hoofd van elk van hen, zie ze strompelen, struikelen, tuimelen, zij die hun ondergeschikten wel zouden willen omsingelen en hartstochtelijk zouden willen omhelzen en die een minuscuul gaatje zouden willen boren in de sleur van alledag om de hemel te zien, de echte hemel, onbewoond en onvervangbaar, hooggeprezen en leeg, steil en meeslepend, zonovergoten en onbewogen in de nadagen van het grote, dwingende wangeloof, hoor ze roepen: 'Wij zijn misplaatst! U kijkt naar ons, maar U ziet ons niet! U luistert naar ons, maar U hoort ons niet! U bent zo groot, zo feilloos en zo ongevoelig... Wij zijn U niet, wij zijn zo goed als niemand. Verstoot ons! Bega onuitsprekelijke wreedheden jegens ons, verwijder ons uit Uw hooghartige gezichtsveld, maak ons waardevrij en laat ons zuchten, breek Uw staf over ons en laat ons eenkennig worden van ongeloof en onvolkomenheid, en kus ons, kus ons zo ruw en zo onbeholpen als U maar kunt, en zo teder...'
Pats!

Daar zijn zij die van de nood iets onnauwkeurigs maken, die lonken met hun afzichtelijkheid, wederrechtelijk met vergiffenis dreigen en verkondigen dat ze maar van één ding spijt hebben en dat is dat zij in het donker de verkeerde bankier hebben gewurgd.
Pats!

Daar komen de oprechte oproerkraaiers, de koele slopers van gemoedsrust en welbehagen, de fundamentalisten van de ontzetting, hun lijkbleke neuzen in de wind, en achter hen zij die denken dat dood een ander woord voor naastenliefde is en het leven deemoedig hun andere wang toekeren – ontbrak het hun maar waaraan het de dood ontbreekt: zieligheid.
Pats!

En daar, dat zijn geen mensen meer, dat zijn dingen, warmbloedig, uitbundig, liefelijk, fier en zwaarwichtig, maar dingen! compacte, welomschreven dingen! Ze botsen tegen elkaar en klinken, rinkelen. Dit heeft het leven ook voor dingen op het oog:
Pats!

Daar komt een oude man aangesloft, die eens bevlogen, extravagant en tactloos was, hij blijft staan en kijkt verwonderd om zich heen, zet zijn handen aan zijn mond en schreeuwt: 'Is hier niemand? En waarom niet?' Hij denkt dat hij nog ruimdenkend is en onvervaard, in zijn vetleren jas, de passende verhulling van vermorste bezieling – een hond kijkt hem ongelovig aan en een stem zegt: 'U hoeft niet zo'n kabaal te maken.'
Pats!

Luister, die stemmen, dat zijn tijdloze kinderen, uit het verleden
opgediept, afgestoft en opgefrist, met hun springtouwen,
stuiters, stelten, tollen, blokken, hoepels, tinnen soldaatjes,
houten kabouters en kleine, gniffelende heksjes op bordpapieren
bezemstelen, hoor ze gillen van ontheemdheid en onwezenlijk
pijngevoel.
Pats!
En daar nog een paar achterblijvers, vroegrijpe schoolkinderen
zwaaiend met hun certificaten van onberispelijke en
menslievende doelmatigheid, een windvlaag sleurt ze mee – die
feestelijke kinderen – naar de zegenrijke zee van voorpret en
eensgezindheid, waar het water zich boven hun rijkbedeelde
hoofdjes zal sluiten.
Pats!
Daar zijn de verfijnde vrijdenkers, de hoogblonde maintenees van
innig tevreden adonissen, gecastreerde chinchilla's in driedelig
vrijetijdskostuum, stinkend naar mirre, een bosje exotische
anemonen in hun hand, een blikken schuiftrompet onder hun arm,
een geplastificeerde grijns op hun lippen en een korenbloem, een
kleine, bekoorlijke, hemelsblauwe korenbloem op hun revers, zie ze
priegelen en ploeteren.
Pats!
Daar komen zij die het liefst hun hand in eigen boezem steken,
berouwvolle zondagskinderen, zwaarbeproefde gewoontedieren,
onbewuste misantropen, hun ijzeren discipline als een harnas om
hen heen, zie ze omvallen, opstuiteren, wegrollen, o ijzeren
discipline, hoe troostrijk schittert u in de zon! wie zou u durven
omsmelten tot loze lethargie?
Pats!

Daar komen zij die het gelijk aan hun zijde hebben en over de wettelijke bevoegdheden beschikken zich grof en onevenwichtig te gedragen, ze vijlen hun nagels, kammen vlug nog even hun haar en laten zich spottend uit over de kleingeestigheid van vrouwen en van levende wezens in het algemeen.

Pats!

Daar komen zij die geen trek meer hebben in hun tegennatuurlijke beperkingen, die met hun kalasjnikovs engelen uit de hemel schieten, plukken, villen, farceren met truffels en deugdzaamheid en voor hun gasten op tafel zetten, met wellust en nootmuskaat, o die blanke halsjes die smelten op de tong! hoe zal de heer der heerscharen dan wel niet smaken, met verse schietgebedjes en een scheutje azijn?

Pats!

En daar zijn zij die uitentreuren hebben opgeschreven wat eerlijkheid is, wat nederigheid en wat zwakte, ze slaan hun kraag op, ze hebben het koud, ze zijn uitgeschreven, ze willen zich warmen aan hun twijfels en hun poëtische jammerklachten vol navrante metaforen, die hun een houvast moeten bieden, een tegenwicht tegen inbeelding, gezwets en zelfverheffing, maar waar zijn die twijfels en die jammerklachten nou toch... terwijl de wereld hen tart: 'Dag troosteloosten der troostelozen, hoe gaat het met jullie?'

Pats!

Daar komen zij die met niet-aflatende inzet hun mening bijstellen over de alomtegenwoordigheid van de dood, ze steken elkaar de ogen uit en denken dat zij onuitroeibaar zijn en als het ware een baken van weerspannigheid en straffeloos verzet, misschien kan de mensheid niet zonder hen, ze eisen eerherstel en zedeloosheid, 'op een presenteerblaadje!' en kijk, daar is het al, hun welverdiende presenteerblaadje:

Pats!

En daar zijn zij voor wie klaarblijkelijk andere voorschriften gelden, hun hoofd in de wind, hun geest opbollend van vernuft en ademloosheid, hun juchtleren handschoenen losjes in één hand, hun wijsheid als een accessoire in een piepklein tasje aan hun pols, hun onvoorwaardelijke vetzucht als een politieke opdracht voor het dolgedraaide canaille dat hen hoont en haat.

Pats!

En daar komen de angstwekkenden, de instemmenden, de ordelievenden, de zwijgzamen, de zinledigen, de neerbuigenden, de bedroevenden, de welgevalligen, de doeltreffenden, de rustgevenden, de onzelfstandigen, de goedwillenden, de grofgebekten, de nuttelozen, de heethoofdigen, de overjarigen, de vechtlustigen, de ondergewaardeerden, de onheus bejegenden, de onomstredenen en de beroepsmatig onstoffelijken, zie ze krioelen, kriskras door elkaar, allemaal, alsof er geen tijd meer is voor onderscheid.

Pats!

Die is er dus ook niet!

Pats!

Daar komen de rudimentairen, de duizelingwekkenden, de gedenkwaardigen en de gelijkgestemden, met hun aangrijpende heimwee naar het onvoltooide, nog ongebruikte, en naar alles wat doelloos is, zonder noodzaak en zonder overbodigheid, zonder opkomst en zonder ondergang, zonder voorsprong en zonder achterstand, zonder begin en zonder einde, ze slaan hun ogen neer, zij zijn maar met weinigen, de chaos binnen handbereik.
Pats!

Daar komen de ingetogen querulanten, de stille strijders voor geweldloze haat, voor vreedzame hoon en opbeurend cynisme, zij die gemoederen vriendschappelijk verhitten en met gecontroleerde vasthoudendheid naar mogelijkheden zoeken voor laagdrempelig leedvermaak en de openbare ondermijning van de redelijkheid, met hun heupflessen Vitriool Rood en hun beheerste en o zo milde gelaatsuitdrukkingen.
Pats!

Daar komen de talmende huismussen en de tobbende kippen, die niet weten of ze nog wel een kop hebben of alleen nog maar een kop zijn, en die geen partij kiezen, geen standpunt innemen, geen argumenten aanvoeren, geen uitspraken doen en uit voorzorg altijd goedkeurend kirren en over zich heen laten lopen: een twee, een twee, een twee... zij komen van heinde en ver, er zijn nog maar enkele van hen over.
Pats!

Daar gaan de gekwelden en gekwetsten, de doodzieke CEO's
glurend naar hun slanke, naar juni, juli en soms naar eind
december geurende secretaresses met hun rode nagels, hun
hoogblauwe mascara, hun Chanel Coco Mademoiselle, hun nylon
knieën net boven het tafelblad, hoor ze hijgen, smachtend naar
hun zeldzame minuten van wanbeleid en valsheid in orgasme in
een muffe bezemkast.
Pats!
Daar komt de herfst, weggedoken in zijn motregen, hagel en
nachtvorst, met zijn achterlijke uitverkoop van tweedehands
sterfbedden en platvloersheid en zijn vale, tot laat in de avond
aanhoudende ochtendhumeur, en daarachter: de winter, de witte
haatzaaier, met zijn ijzige hoofdpijn, onaanvaardbare axioma's,
gure radeloosheid, stormachtige plichtsbesef en
huiveringwekkende doodsverachting, zijn hologige handlangers
sjokken mopperend achter hem aan: de kosmos is uitgelachen,
uitgedroomd, uitgeleefd, maar kijk, dáár, daarachter, bedremmeld
en heel petieterig, daar komt al de lente, verkleed als de heilige
drie-eenheid, ach, zó ziet Zij er dus uit... fluwelen pantoffeltjes
met bloemmotief (vingerhoedskruid, zo te zien), citroengele
sokjes en een hoogesloten, smaragdgroene pyjama aan haar
feeërieke lijfje... o klein, lief zondebokje, drievuldige schattebout,
twinkelende majorette der seizoenen, weet jij al waar jij moet
zijn? Hier, lente, hier!
Pats!

En daar komt de zon, eindelijk! tussen de wolken door, onze
zon! onze lieveling! onze symbiotische schoonmoeder! keerzijde
van onze zwartste gedachten! laaiende waarschuwing! zoeklicht
op de paleizen van onze nietigheid! bedwelmende inbreker in
onze melancholie! aanbiddelijk hiaat in de ijdele kilte van ons
bestaan!

Pats!

Maar daar is alweer de regen en iedereen die niet meer kan
schuilen slaat op de vlucht – een laatste strohalm voor zijn
voeten weggemaaid door bemoeizuchtige hulpbisschoppen
en hun uitgekookte huishoudsters, bereidwillige bedgenoten
met hun roze overgooiers, hun pikante dusters, hun opzichtige
pukkels en hun constitutioneel eczeem – en verstart in zijn val.

Pats!

En daar komen de gedoodverfde verschoppelingen der aarde,
volmaakt in hun soort, hinderlijk en besluitvaardig, dwars en
onbehaaglijk, bruut en ongeschoren, ze hebben schermutselingen
bij zich, stemmingsstoornissen en wisseling van de wacht, ze zullen
de heersende vrede ondergraven en doen ontsporen, hun ellende
juicht oorlog! vraatzucht! voorbehoud!

Pats!

Daar komen zij die zich onaantastbaar wanen, hun scrupules als een stralenkrans rond hun verweerde hoofd, maar die op dit beslissende ogenblik niet op het wachtwoord kunnen komen dat de weg naar vrijheid en verzoening voor hen zal effenen. Pots? Pits? Puits?

Pats!

'Pats!' roepen ze nog. 'O ja!' Te laat.

Pats!

En daar zijn alle mensonwaardigen, alle armzaligen en alle kansloze zonderlingen, die van de daken kraaien dat wat meer zwakzinnigheid de wereld zou opfleuren: 'Let maar op, of nee: let maar niet op, let maar nooit op!'

Pats!

Daar komen zij wier broek afzakt van erfelijke hardhandigheid en jaloezie, luister, ze schreeuwen modder en baklucht, hardlijvige braadzucht, kijk, ze lopen te koop met hun organen, ze braken beledigingen en plagiaat, de rek is eruit, 'Wat is eruit?' 'De rek.' 'Wát??' 'De rééééék!!'

Pats!

'Nou en?'

Pats!!

En daar nog een man, een onbestemde man, die met alle winden meewaait en altijd ergens voor aan het weglopen is, maar nooit weet voor wat... hij zou iedereen wel willen aanklampen: 'Weet u waar ik voor wegloop...?' Maar hij ziet niemand en niemand ziet hem.

Pats!

Daar zijn de jagers, de wijsgerig geschoolde hoeders van het recht van de sterkste, ze leggen in alle rust aan, knijpen één oog gewetensvol dicht en fluisteren – volleerde leugenaars die zij zijn: 'Wij doden niet, wij verschonen', een haas kruipt weg, bloedt uit zijn hals, kijkt nog, denkt nog, en daar zijn de vissers, met hun hengels en hun klapstoeltjes en hun uitgekiende inlevingsvermogen, gehoorzame kinderen gooien ze terug. Pats!

En daar zijn zij die zichzelf vereren en verguizen, van zichzelf houden en van zichzelf walgen en die elke avond tot zichzelf bidden: 'O Ik, almogende Ik, alwillende, aldenkende, alvoelende, almoetende, alomarmende Ik, hebzuchtige, gulzige, zelfvoldane, misselijkmakende, tijdverspillende Ik, bemoei Je nooit meer met Mijn zonden, dan bemoei Ik Mij nooit meer met Mijzelf.'

Pats!

Daar gaan zij die oud en gebroken zijn en nergens meer voor aansprakelijk, demente oorwurmen die hun laatste beelden stelen uit de vingers van kinderen en oververmoeide hoogwaardigheidsbekleders.

Pats!

Daar komen zij die heilig geloven in worgengelen en demonen en in bovenmenselijke verbolgenheid en verbittering, en die zich voor ons willen opofferen – onwijs, onbegrepen en aandoenlijk als die ander – hoor ze zingen van machtsmisbruik, hovaardij en onuitwisbare schande en dat het ergste aanstaande is, tenzij... o tenzij, tenzij!

Pats!

Zie ze verbranden in het vuur der onthechting, geen woord dat hen zal redden.

Daar zijn de behaagzieken, de schadeplichtigen, de schijnbaar misdeelden, de onmiskenbaar beklagenswaardigen, de stelselmatig oververtegenwoordigden, de kleurloze ondergeschovenen, de uitgesproken rechtgelovigen en zij die denken dat medelijden iets is voor modebewuste meelopers en onmondige idioten, voor verregende zondagmiddagen met lauwe thee, een belegen mariaatje en een klein, zouteloos gesprekje over liefde en krankzinnigheid en hun onontwarbare, gemeenschappelijke ramificaties.

Pats!

Daar komen de wetenschappelijk onderlegden, zij die dubieuze inschattingen maken en kardinale vergissingen begaan, die niet om zich heen kijken, hun oren niet te luisteren leggen en dreigende gevaren op hun beloop laten, die pochen op de expansieve, bij wijlen zelfs explosieve uitwerking van hun fenomenale denkkracht en die zichzelf zonder pardon ontwrichten: opgeruimde knoeiers en hun overrompelende minnaressen, hun laatste uren smadelijk en van elke luister ontbloot.

Pats!

Daar komt een stille jongen, alleen en rotsvast overtuigd van zijn minderwaardigheid, die in zijn eigen laag-bij-de-grondse wereld wil leven, met zijn eigen achtertuin en zijn eigen vlinders, stokrozen, bladluizen, slagregens, aardappelmoeheid, kaalslag en gelijkwaardigheid, hij ziet die wereld voor zich, zijn wereld, en trapt ertegen, zo hard als hij kan.

Pats!

Daar komen paarden, horzels zwermen om hen heen, op
hun rug uitgebluste mannen en nog nasmeulende vrouwen,
mistroostig en ontkleed, hoor ze roepen: 'Waarom zijn wij niet
onoverwinnelijk en waarom is het hiernamaals niet hier en het hier
niet daar of waar dan ook en waarom is er niemand, niemand ooit
langer gelukkig dan luttele seconden in aaneengeregen jaren van
uitputting, misverstand en tegenwerking?' De paarden steigeren
wat en slaan vervolgens vermoeid op hol, hinniken misnoegd,
wat moeten zij anders?
Pats!
'Alles gaat voorbij,' roepen zij nog, 'maar niet voor ons!'
Pats!
En daar komen zij die in voortdurende angst leven voor
gevoelsarmoede en onbeduidendheid, het tragische uitschot van
de zinsbegoocheling, hun nachten schrikaanjagend en kort, hun
dagen vluchtig en onbetrouwbaar, zij tasten om zich heen, hun
blindelingse aandriften glippen door hun vingers, verschuilen
zich in de kieren in hun eigenwaan, zij die zichzelf misleiden en
zinloze plichten aanpraten, en haast, nog meer haast!
Pats!
Daar komen zij die 'Koest!' roepen tegen de dood, 'Koest nou!
Koest!' en de dood met zijn hitsige gebaartjes, zijn sluike
haartjes, zijn spitse oortjes, zijn sluwe oogjes, zijn grijpgrage
klauwtjes, zijn pruilende mondje, zijn voldongen tongetje, zijn
warrige taaltje, zijn kwaadschikse willetje, die lieve, lieve dood,
die aanvalt en zich terugtrekt en hergroepeert en weer aanvalt...
Pats!

Daar komen de anonieme drukdoeners, moddergooiers en nieuwlichters, op elkaar geklit als kikkerdril, hoor ze klagen dat ze toch, hoe dan ook, toonaangevend zijn en ongeëvenaard fijnzinnig en oogverblindend, als witte narcissen in een soevereine vaas, en dat ze bovendien, desalniettemin, van rijkswege verzekerd zijn tegen somberheid, afnemende aandacht en andere geestelijke eventualiteiten, en dat niemand het in de zompige leegte van zijn hoofd moet halen hun roemvolle, veelzijdige en scherp omlijnde eeuwigheidswaarde in welk medium ook ter discussie te stellen, want anders...
Pats!
'Maar we wilden nog zeggen...'
PATS!
Daar zijn zij die de dood de les willen lezen, een kleine, venijnige les, een les die hem zal heugen, die hem zal leren nooit meer zomaar, ongeautoriseerd, zonder aanleiding of nadere toelichting, aalglad of als een hark, razendsnel of tergend langzaam, afgemeten, achterbaks, plichtmatig, smakeloos, ijskoud, onbehouwen, lukraak, landerig, lusteloos of onaangedaan iemand stuk te maken, alsof het om een horloge gaat dat om één minuut voor twaalf moet blijven stilstaan, verbrijzeld onder de stalen hak van een ziedende anarchist, oorlogshitser, bloedhond.
Pats!

Daar komen de ongedurigen en onverschrokkenen, die smalen op lijfsbehoud en zelfkennis en die hun leven het liefst al achter de rug zouden willen hebben, hun zenuwen jankend in de wind als rabiate gitaren: 'Doodgaan is sowieso! doodgaan is überhaupt! doodgaan is weliswaar! doodgaan is alleszins! doodgaan is niettegenstaande! doodgaan is ofschoon.'
Pats!

En daar, dat moet God zijn, dood gewaand en schilderachtig, moedwillig bebloed en alwetend, vastbesloten en rechtzinnig, ontoegankelijk en onveranderbaar, kijk, hij staat stil, als een dove roerdomp in het riet, hij meet zijn reikwijdte en zet een klein, onverbiddelijk puntje op de nog onbevlekte i van het ik-besef, hij zingt, hij ontvouwt, ontstijgt, ontspringt de
Pats!

Daar komen de uitgelezen rentmeesters van de aftakeling, zij die de failliete inboedel van het onderscheidingsvermogen beheren, zij brengen onze laatste dagen in kaart, de slechtgeluimde prinsen van duisternis met hun groteske mensenkennis en hun unheimische universaliteit, Satan in zijn grijze stofjas, als een arglistige goedzak, gemoedelijk achteroverleunend op een zachte, sepiazwarte canapé in de troonzaal van hun immense fantasie, ze wuiven naar ons, ze komen eraan, de arrivés van het kwaad, ze roepen: 'Domme grond, domme domme grond, domme onbegonnen onderworpen grond...' alsof wij verlamd zijn en hun bedoelingen niet doorzien! Hierheen! Jullie zijn er bijna!
Pats!

Daar zijn zij die de coördinaten van het toeval nauwkeurig hebben berekend, in een tabel hebben ondergebracht en van een sterretje hebben voorzien – de actuarissen van het gezond verstand – zij schudden onzin, domheid, onvolledigheid en opsmuk van zich af, kauwen op hun laatste restje mierzoet en onkreukbaar onbehagen, slikken het door en roepen, welluidend, welgemutst, welbewust en weldoordacht: 'Nog tien meter vijf, nog vier meter drieënveertig, nog één meter één...'

Pats!

Daar komen zij die sarren tot een kunst hebben verheven, die blinde kinderen sarren, muurbloempjes sarren, kreupele honden sarren, zich op hun gemak op een gazon neervlijen en torren sarren, een manke slak sarren, zijn huisje opblazen.

Pats!

Daar komen zij die verslaafd zijn aan faalangst en stemverheffing, die zich verschansen aan de uiterste randen van hun ziel, daar waar de ziel al geen ziel meer is, maar slaap en levensmoeheid, en van daaruit schreeuwen en schreeuwen...

Pats!

Een opstootje. Er worden mensen monddood gemaakt. Scherpzinnige mensen. Waarom waren ze ook niet botzinnig en halfhartig, hielden ze er geen misvattingen en betekenisloze waandenkbeelden op na, vertrouwden ze niet op hun onbedwingbare neiging om op gruwelijke wijze voorgoed met iets of iemand af te rekenen? Waarom spuugden ze niet, instinctief en vol overtuiging, op alles en iedereen?

Pats!

Daar komt de mensgeworden zelfverloochening, het sprakeloze kind van de kwade trouw, evenwichtig en kleinzerig, vredelievend en mensonterend, gezaghebbend en potsierlijk, verwaten en beduusd, zorgzaam en gehaast, onhandelbaar en nerveus, driftig en onnozel, eigenzuchtig en zieltogend, plichtsgetrouw en preuts, kwetsbaar en gevaarlijk, regenachtig en hol, met de dood op zijn rug: zijn bleke, hulpbehoevende vriend, die hem opjaagt, beschimpt, vernedert en in zijn oor fluistert dat hij toch, ondanks alles, heel veel, verschrikkelijk veel, zielsveel van hem (er volgt een onverstaanbaar woord) en hem nooit zal... 'Maar ik wíl verlaten worden! Ik wil niets anders ooit!' roept hij nog.

Pats!

Daar komen zij die lijden aan dubbelhartigheid en kwaadaardige onnadenkendheid met hun perfide lak aan alles, hun lijzige skeletten krimpend in de zon.

Pats!

En achter hen komen zij die hun gevoeligheden zorgvuldig verborgen houden, als pissebedden onder een grafsteen: verdriet wuiven zij met hun vingertoppen weg. Zij kennen geen grenzen: dit is hun grens.

Pats!

Daar komen de glimmende, de zichzelf elke ochtend bij het
wakker worden met zichzelf gelukwensende notarissen en
deurwaarders met hun geparfumeerde schedels en hun steriele
maatpakken, zie ze pronken met hun fameuze rechtlijnigheid,
hun taaie teergevoeligheid, hun baanbrekende dienstvaardigheid,
hun goedhartige onwrikbaarheid, hun exemplarische stiptheid,
hun verademende doorzettingsvermogen, hun onopgesmukte
vooruitstrevendheid, hun klassieke weldenkendheid, hun
gloedvolle plichtsbetrachting en hun minzame meelevendheid
met armoedzaaiers en minderbedeelden, de onfeilbare
interimelite van een dichtgeslibde en door periodieke
overspannenheid volledig verknoeide volkenrechtelijke eenheid
aan de zee.
Pats!
En daar een paar bedompte echtparen, krom van obstipatie,
liesbreuken en rechtvaardigheidszin, zij knikken naar elkaar: 'Zie
je wel! Al onze voorgevoelens komen uit.'
Pats!
Daar komen zij die gezondheid houden voor kunstzinnigheid,
leven voor oorspronkelijkheid, tijd voor maakbaarheid,
zelfbeheersing voor doortastendheid en het klimmen der jaren
voor een drachtige koe die droevig loeit naar de armoedige boer
die haar voedert, zij blijven staan, een en al bewondering voor de
ongedwongenheid van de natuur en de ongelooflijke
aantrekkingskracht van het dolce far niente van de dood.
Pats!

Daar zijn al diegenen die schoon genoeg hebben van zichzelf en zich zonder winstbejag en met de grootst mogelijke afkeer in elkaar verlustigen en met afgewend hoofd, misselijk van mismoedigheid, zich vermenigvuldigen, zij die maar al te goed weten hoe goedkoop en aanstootgevend zij zijn en die inzien dat hun denkbeelden en emoties thuishoren op een schroothoop, de roemloze schroothoop van de huis-, tuin- en keukenpsychologie, waarin iedereen verbeten wroet, op zoek naar de ware aard van zijn gevoelens.

Pats!

Daar komen zij die doodgaan een vorm van in gebreke blijven vinden en de dood een stoffige koffer onbeheerd achtergelaten op het met gras overgroeide perron van een opgeheven station, gadegeslagen door een uitzichtloze jongen en zijn gebrekkige hond en verder niemand, niemand.

Pats!

Daar komen nog twee mensen die op voorbeeldige wijze van elkaar houden, zonder nadruk of behaagzucht en zonder de verzuchtingen en het gefriemel, gefrunnik, gefoeter en gestuntel van de rest van ons.

Pats!

En daar komen zij die oud en welvarend zijn, niet meer maar ook nooit minder dan dat. Ze volgen elkaar doelgericht, stap voor stap, houden elkaar nauwgezet in het oog. Ze mogen niet vallen! Ze weten dat maar al te goed. Niet vallen! Niet vallen! Ze houden zich aan de ongeschreven regels. Ze hebben het koud. Ze zijn zo oud en zo welvarend...

Pats!

Daar zijn de nieuwsgierigen, de op sensatie belusten, zij die eindelijk wel eens willen weten wat die roemruchte dood nou helemaal voorstelt: een vacuüm? een hels lawaai? een geur? Maar dan van wat: gebakken lever? eau de cologne? jasmijn? Zij zien blauw van ongeduld en als zij geen doodsangst hadden gekend, zouden zij de hand allang aan zichzelf hebben geslagen, maar die doodsangst, wat wil die doodsangst toch van hen, waarom bijt die doodsangst in hun keel, trapt in hun onderbuik, grijpt naar hun

Pats!

En daar komt een meisje dat nog nooit met een jongen naar bed is geweest en al bijna te oud is voor een eerste keer, zij kijkt asgrauw om zich heen, o als er maar één jongen, één oogluikende en wat haar betreft middelmatige en onderontwikkelde jongen haar één blik waardig keurde, één haakje niet los kon krijgen op haar rug, haar onbestorven rug, en één geheim stilletjes aan haar ontfutselde...

Pats!

Daar zijn zij die zichzelf meermalen per dag op heterdaad betrappen op onwil, zelfmedelijden, vernietigingsdrang en heimelijke onderdanigheid, pafferige warhoofden en hun omvangrijke partners.

Pats!

Daar komen zij die geloven dat zij anders zijn, anders dan anderen, anders dan iedereen – maar niemand is anders: hetzelfde bloed gutst uit dezelfde wonden, hetzelfde hoofd legt zich telkens weer neer in dezelfde schoot – zo moe en zo weemoedig – en dezelfde weerzin wordt elke nacht opnieuw nietsontziend weerlegd door hetzelfde verlangen: 'Iemand! Iemand!'
Pats!
Daar komen de onaanzienlijken, de armetierigen, de kleinmoedigen van geest en de willoos onder de voet gelopenen, de neerslag van ieders welbevinden, vleugellam, moddervet en schor van zelfbeklag, het zere been van de maatschappij (de telkens weer opspelende spataderen van de samenleving), en pal achter hen zij die het slechte in de mens inzichtelijk maken en de god van de geringschatting in hun wapen voeren, de gezagsgetrouwe steunpilaren van het behoud van afgrijzen en tweestrijd.
Pats!
Daar komen de hardwerkende fortuinzoekers, ze zijn zo gedreven en zo plichtbewust, ze zoeken goud en vinden dekmantels, wassen neuzen en bagger, maar geen goud, ze schreeuwen het uit: 'Wij zijn rechthebbend! Wij moeten worden gevreesd!' Ze zwaaien met rechtsgeldige aantijgingen en dubbel gecheckte insinuaties, hun geestesleven verschoten in de verzengende hitte van hun ondankbaarheid.
Pats!

Daar komen de dwarsliggers en hyperbole onruststokers, zij die zich voorstaan op de onbevattelijkheid van hun principes, de reizigers in bedachtzaamheid en wartaal, in ommekeer en redeloosheid, in rookgordijnen en koelbloedigheid, in oud zeer en aanhankelijkheid, in broodroof en levenslust, zie ze zwelgen in hun nauwlettende, grensverleggende onvermoeibaarheid. Pats!

En daar komen zij die onbereikbaar, onbenaderbaar, onduldbaar, ontembaar, onverklaarbaar, onaanvechtbaar, onverwoestbaar, onomkeerbaar, onbeheersbaar, oneerbiedig, onwerkzaam, onwettig, onwennig, onwerkelijk, onvermijdelijk, onvergetelijk, onbezonnen, onbedaarlijk, onbezorgd, ongehoord, ongenadig, onguur, onzichtbaar, onmenselijk, onoprecht, onvergankelijk, onstandvastig, onverdeeld, onzijdig, onzindelijk, onuitputtelijk, onrustbarend, onberaden en bovenal volkomen onbelangrijk zijn, ze knopen hun jas al open, bieden de toegestroomde menigte de aanblik van hun massieve, moegestreden, maar nog altijd vertrouwenwekkende buik – de éminences grises van het consumentisme – en zingen uit volle borst: 'Bats! Dats! Fats! Kats! Lats! Mats! Nats...'
Pats!

Daar komen de door de wol geverfde heelmeesters van de achterdocht, met hun spreekwoordelijke messen en pincetten, zij die het rauwe onderbewustzijn van hun cliënten klieven, uitbenen en sublimeren, in hun getailleerde witte jassen vol overdrachtelijke vlekken en scheuren, zij die talenten uitwringen, ontzenuwen, te drogen hangen – als onderbroeken aan een waslijn – en als afdankertjes voor een schappelijk prijsje te koop aanbieden, en die met overgave en toch, toch gekscherend zingen: 'Wij weten niets. Wij willen niets. Wij worden niets. Dus wat zijn wij? Onnavolgbaar!'

Pats! Pats! Pats! Pats! Pats!

Elk afzonderlijk, en bloedig. En onmiddellijk achter hen komen de leeghoofdigen en lamlendigen, de lompe paradigma's van onze onvergelijkelijke, oneffen, onvruchtbare, onnodige en toch altijd nog uitgebalanceerde beschaving, voortschrijdend, steeds maar voortschrijdend en stuiptrekkend en giechelend en galmend en gewelddadig, de schrale noordenwind snijdend over de dorre velden onder hun enorme schedeldak, luister, ze zien mij, roepen naar mij, hun nemesis, muurvast ingeklemd tussen omzichtigheid en nonchalance: 'Jij daar, jij bent een van ons!', hyena's huilen, de zon schuift achter een wolk en ik buig mijn hoofd, mijn grote, broze, pseudo-autonome hoofd.

Pats!

Maar ik ben er nog, ik ben er nog! Een ander duwt mij hautain opzij, roept: 'Dit is míjn lijdensweg, ventje, niet de jouwe!' fronst zijn wenkbrauwen, haalt diepgravend adem, slikt nog iets schandelijks, iets pregnants weg, zegt: 'Weg met jou!' en stapt naar voren.

Pats!

Ik leun tegen een boom en inventariseer mijn gedachtegoed en kijk, daar, dat lijkt de Heiland Himself wel, dat vlassige baardje, die verschrompelde geitenstrot, die bleekzucht, hij kijkt beteuterd om zich heen alsof hij nog maar net is opgestaan... het onzalige idee...! er was hem toch beloofd... 'Wie heeft dit nu weer bekokstoofd...? Jij...?', hij wijst naar mij, ik schud mijn hoofd, hij raakt los van de grond, drijft langzaam weg, kijkt vertwijfeld naar beneden... 'Hé, waar is mijn zwaartekracht nou? Wie heeft mijn zwaartekracht?'...bereikt de wolken... roept nog wat...

Pats!

En daar komen de impertinente speculanten in hun strakke pakken, de verachtelijke voetvegen van de Verlichting, aanhangers van het fascisme-met-een-menselijk-gezicht, met hun witte boorden en hun monetaire incontinentie – ruik maar! – hun beursgenoteerde driftleven tijdelijk opgeslagen in hun stropdas, hun incourante dromen thuis bij hun moeders, ze zijn zo slim, zo veerkrachtig... ze worden rijk en als ze rijk zijn gevoelig en als ze gevoelig zijn gelovig en als ze gelovig zijn eerlijk en als ze eerlijk zijn weer kinderen in staat van natuurlijke ontbinding. Maar waarom obsederen ze me toch zo? Ze zijn zo oninteressant en zo wanhopig...

Pats!

Daar zijn zij die zich beroemen op hun ontrouw, hun schraapzucht, hun schijnheiligheid, hun ijdelheid, hun kruiperige haatdragendheid, hun proleterige kwaadwilligheid, hun benepen kwelzucht, hun giftige gestook, hun geslepen getreiter, hun valse getuigenissen, hun vieze gluiperigheid, hun slijmerige gevlei, hun vileine gegrijns, hun zwoele genoegen in het vlug vlug even ontmaagden van de zwakbegaafde dochters van zowel gelijk- als andersdenkenden, hun serviele leugenachtigheid, hun afstotelijke gehuichel, hun aftandse charmes, hun miezerige geflikflooi, hun gore gekonkel, hun ziekmakende gekanker, hun vunzige verdorvenheid en hun bombastische, zelfingenomen smerigheid, zij die het einde der tijden zullen opluisteren met kleffe moppen, liederlijke dijenkletsers, schunnige smartlappen, kwijlende meezingers en onoorbare voorstellen aan het Lam Gods, de bejaarde potloodventers van de Apocalyps. Pats!

Daar komen de reeds als peuter verbitterden met hun onbeteugelbare woedeaanvallen, de hooggeschoolde aanstokers van kwaad bloed en tweespalt, die handenwrijvend vooruitkijken naar het uitsterven van onze soort, opruiende geluksvogels die miskennen hoe bevoorrecht zij zijn boven hun vaders en moeders met hun verstikkende armoede, hun verlammende boosaardigheid en de grauwe onherroepelijkheid van hun afschuwwekkend godsgeloof. Pats!

Daar komen, met horten en stoten, de spraakmakende
boekhouders van het wantrouwen, chronische zenuwlijders
(dames en heren) zonder normbesef, gestoord, maar niet gek, ze
gaan liever exact dood dan slordig en opgewekt, ze krijgen hun
zin:
Pats!
En daar, een man die danst als een opgeblazen pad, maar op
spitzen en in een witte, bloeddoordrenkte tutu - hij denkt dat hij
een zwaan is en moet sterven, hij staat stil, hij hoort een stem:
'Sterf maar. Je mag straks achter de coulissen weer verrijzen en
je heilzame geest uitstorten in wie je maar wilt. Maar eerst moet
je sterven.' Hij zijgt neer, als een peervormige stuifzwam in
november, iemand trapt op hem.
Pats!
En kijk, hoog in de hoogte barsten de Financiële Markten in
lachen uit en sturen hun enige, hun doorregen, zondoorstoofde,
oliedikke Derivaat naar omlaag om het geweten uit de mensen los
te weken, koersgevoelig en schrokkend op te vreten en weer
renteloos uit te kotsen op de glibberige ondergrond van het
fatsoen. En kijk, nu knielen er overal mensen, vrijgevochten
politici en fiscaal aftrekbare genieën en geschiedvervalsers! Maar
hun gebeden worden niet meer verhoord.
Pats!

Daar, kijk, die jongen, met dat rossige haar, roos op zijn schouders, naamloos, mager, pokdalig, een beetje vrouwelijk en beschaamd, die het één keer gedaan wil hebben, hoor hem fluisteren: 'Eén keer maar! Desnoods niet helemaal!' Hoor hem zuchten en in zichzelf mummelen: 'Dag... eh... nee... ik bedoel: hoi, nou ja, hallo, hai... ik ben... ik, ik zou zo graag...'

Pats!

En daar, dat meisje, ze glimlacht, ze knikt naar hem, roept hem nog – ze heeft zo lang op hem gewacht: 'Jongen! Ik ook met jou!' Te laat. Het is niet anders.

Pats!

En achter die twee, snorkend en snaterend, als opgedofte ganzen, de promiscue voorgangers van de zelfredzaamheid, wandelende voorbehoedsmiddelen in eigentijdse regenjas, sponsoren van kortstondig voorspel, verbluffende hoogtepunten en spiritueel naspel, ze gaan met hun tong langs hun afgetrainde lippen, knipogen vet en eenstemmig, ze zijn altijd ergens in voor, weten precies, heel precies, gigantisch precies hoe en wanneer en wie en waar en wat...

Pats!

Daar komen zij die nooit uitgepraat raken over de dood, maar niet kunnen besluiten hoe zij het liefst dood willen gaan – er zijn zoveel varianten – ze kijken in prospectussen, brochures, folders, vormen groepjes, bediscussiëren hun opties, knikken naar elkaar: 'Ja, zo!' 'Of toch zo?' 'Ik denk eerder zo...' De dood is ook zoiets wonderbaarlijks! En misschien zelfs wel leuk!

Pats!

En daar zijn de als in jampotten vergeten rupsen en wespen, die eens mensen waren en nu de droefheid zelve: waren zij grof vuil, er was gisteren voor hen gebeld.
Pats!
Daar zijn zij die versperringen opwerpen en misstanden verzinnen, de vervalsers en verspillers die hun partijdigheid en vooringenomenheid ten voorbeeld stellen en al hun hebbelijkheden op een goudschaaltje wegen, zie hoe goedmoedig en gulhartig zij zich voordoen, hun behoudzucht is een knecht die zijn heer aan een lijntje houdt, hun ernst schreeuwt schuwheid, indolentie! Laat ze verzanden, verdampen...
Pats!
Daar komen zij die in weerwil van hun bewogenheid ten einde raad zijn, wereldvreemde individuen die zichzelf ononderbroken opzwepen tot twijfelzucht en minderwaardigheidsgevoelens, en die zich liever nog verspreken dan de werkelijkheid – die opeenstapeling van goddelijke denkfouten en gezichtsbedrog – te beschrijven, zij wijzen naar mij, wenken mij, houden een plaatsje vrij voor mij, de geur van schrikbarendheid om hen heen. 'Maar ik ben nergens op voorbereid!' roep ik. 'Er bestaan geen voorbereidingen,' zeggen zij, 'er bestaan alleen gewaarwordingen.'
Pats!

Een donderslag en een stem roept: 'Is er dan niemand, niemand dankbaar?' Gekortwiekte parelhoenders fladderen op, mondaine vrouwen poederen zich onthutst, onttrekken zich aan hun modegevoelige verantwoordelijkheidsgevoel en knellende moedwil, en overal vandaan wordt teruggeroepen: 'Nee!', want waarvoor zou iemand ooit dankbaar moeten zijn? Voor dit overdreven, deerniswekkende, monotone, rituele, hooggespannen, schaarse, miserabele, niet noemenswaardige, ondeelbare, onlosmakelijke en ondubbelzinnige tegendeel van het leven, dit eeuwige eenrichtingsverkeer?

Pats!

En daar komen zij die alleen zuiver en integer wensen dood te gaan, zonder poespas, flauwekul, gedoe, ethisch gezemel, opgeklopte toestanden, zoetige prietpraat, moralistische tierelantijnen, zeeën van koffie, last minute pijnbegeleiding, overal vandaan opgetrommelde familie en ongewenste vrienden, schielijk afgedwongen bekentenissen, onbetekenende laatste woorden en loodzwaar, ongepast en overgewaardeerd rouwbeklag, en die onbegeleid in een graf willen worden gedumpt op een rommelige ochtend in oktober, bij voorkeur in de stromende regen, en zonder bezoek, bloemen, brieven, op niets gebaseerde herinneringen, ontredderde nabestaanden, schepjes aarde, tranen, Onzevaders en sterkte, want hoe je het ook draait of keert of verprutst of vergalt of vergooit of verwisselt met strijd of met een wonder: het leven is... luister maar, het leven is:

Pats!

En nu komen er gewone mensen, overzichtelijke mensen, mensen
zonder eigenaardigheden, zonder voorkant en zonder achterkant
en met evenveel binnenkant als buitenkant, ze komen overal
vandaan en lopen gewoon, schrapen hun keel gewoon, werpen af
en toe een blik opzij om te zien of anderen ook gewoon lopen,
net zo gewoon als zij, en lopen dan nóg gewoner, ze vrezen de
dood, maar ze weten dat niets zo gewoon is als de dood en nóg
gewoner de vrees daarvoor, ze vertragen hun pas, jammeren
volgens afspraak, knarsen hun tanden in koor, slaan hun armen
op vastomlijnde wijze om elkaar heen, lijden afgewogen en
correct, mijn broers, mijn gelijken – ze kijken op: 'Jouw gelijken?
Wij?' Ze zwaaien als één man met hun vuist, er verschijnt schuim
op hun mond, het gewoonste schuim van de wereld.
Pats!
Daar komen zij die revolutionaire plannen hebben beraamd en
mystieke gebruiksaanwijzingen hebben nageleefd om de dood te
overmeesteren, hem tot pulp te trappen, tot plaatsvervangende
gort, ze zien hem al voor zich – die merkwaardige, zichzelf en
niemand anders bevredigende einzelgänger – roepen hem al toe:
'Jij daar, als jij echt de dood bent, kom dan eens hier als je durft!'
Maar de dood heeft zijn weerwoord klaar:
Pats!

En daar komen de grootmoedigen en groothartigen, de ambitieuze woordvoerders van de uit zijn voegen barstende middenklasse, weldoorvoede strebers die van het onverteerbare de essentie kennen en die telkens weer verwoorden welke steekhoudende offers zij zich – onbezoldigd! – zullen getroosten om de schepping tegen haar belagers te beschermen, en schoonheid in het voorbijgaan ook! Zij kijken om, stoten elkaar aan, wijzen op mij, gnuiven, grinniken: 'Kijk, een lichtgelovige, dáár!'
Pats!
Daar komen jongens, kaf zijn ze, moeizaam en betoverend, angstig en ontnuchterend, ontoonbaar en onderkomen, schichtig en oorlogszuchtig, tanig en wazig, ze ruiken onraad en fatale onderhandelingen, afstraffingen, schrikken terug, vergrijpen zich aan elkaar, verliezen zich in aarzelingen en grenzeloosheid. Laten ze buitenbeentjes blijven! gelukzoekers die de meerderheid van stemmen tussen hun oproerige handen fijnknijpen en verpulveren.
Pats!
En daar nog een paar lucratieve, spraakzame, oorverdovende, woelige, gebruiksvriendelijke, voorgeprogrammeerde, opofferingsgezinde en enigszins loensende en hybride meisjes zonder meer, ze spreiden hun benen, lusten er wel
Pats!

Die man, die daar nu komt, dat ben ik, nee, dat ben ik niet, jawel, dat ben ik ook! ik roep naar hem: 'Ik ben jou!' en hij knikt en roept terug dat iedereen dat weet en dat ik iedereen ben en dat iedereen mij is en hij wenkt naar honderden anderen, die overal vandaan aan komen zetten, o wat lijken ze op mij... even onwillekeurig, onwenselijk, onweerlegbaar en onverdacht! We zetten allemaal onze handen aan onze imaginaire mond, klimmen allemaal op een imaginair dak en roepen het enige, het weelderige, het levensbedreigende woord dat we tot in de finesses kennen: Pats!

'Waarom?' Wie vraagt dát? Ah, ik zie het al. Hij die nooit wat vraagt, die barbaarse, wezensvreemde, onachtzame en over het paard getilde scharrelaar, die handelaar in ressentimenten en doodsnood, die ranzige parasiet van de wederzijdsheid, luister goed, dit is het antwoord: 'Pats!' Maar...

Pats!

'Ik...'

Pats! Pats!

Het lijkt wel een film, ik zit in een bioscoop, nu begrijp ik het! achterbalkon tweehoog, allemaal Mexicanen, paarden, stofwolken en één vrouw, ik bloos, zij kijkt naar mij, zij heeft kuiltjes in haar wangen en een rieten mand aan haar arm, en nooit, nooit zal ik weten hoe het afloopt met haar en met mij – ik ben twaalf, ik sta op straat, het regent, maar hoe het met de wereld afloopt weet ik, dát weet ik zeker:

Pats!

Nu is het stil, nadert er niemand, rakelt de wind gevallen
verdachtmakingen op, dwarrelen er nog wat verdwaalde
zielenroerselen uit de toppen van de bomen naar omlaag, treuren
er samenraapsels, geen mensen – misschien komt er nu wel
niemand meer, is het voorbij, houden willekeur en eenzelvigheid
zich voortaan schuil en verdorren in absentia: hier is het allemaal
om begonnen: niemand meer, geen inzichten meer, geen
beweegredenen, geen gewetensbezwaren, geen begrip, geen
ceremonieën, geen cris de coeur, geen hooglopende ruzies en
nietszeggende autoriteiten, geen wufte weduwes en eenzame
wezen, geen molm, geen stof, geen stuifsneeuw, geen haperende
taal, geen slakkengang, geen eigenrichting, geen voorbeeldfunctie,
geen gewrongen bewijsvoering van sublieme onbegrijpelijkheid,
geen tijdverslindende breedvoerigheid, geen stromannen, geen
loopjongens, geen prototypes, geen evenknieën, geen
mededingers, geen tegenstrevers, geen voorvechters, geen
maskers en schijnzekerheden, geen irreversibele
karakterveranderingen, geen goedbedoelde maatregelen,
geen ontijdige openbaringen en zelfverheerlijkende
barmhartigheid, geen autocratische besluitvorming, geen
strategische koerswijziging, geen in het oog springend
eigenbelang, geen kinderlijk eenvoudige gemoedstoestanden
en onvolwassen verhoudingen, geen gestaag aanzwellend
en vervaarlijk opzwellend en obsessief godsbesef, geen
ellenlange voorbeschouwingen en eenregelige samenvattingen,
geen romantiek, geen barok, geen tegenspraak, geen bijval, geen
terugweg, geen mensenwerk, mensenheugenis en menswording,
geen eenzijdige overbezorgdheid en gelijktijdige gelatenheid,
geen juveniele misgrepen, geen gebrek aan gespreksstof, geen
nuttige aanbevelingen, geen oorzakelijke verbanden en
nodeloze schijnoplossingen, geen gespreide bedden en
opbouwende gesprekken, geen genotzieke bewindslieden
met hun gedachten bij stemmenwinst en lingerie, geen

gemakkelijke opvattingen, geen scheve vergelijkingen, geen
onontgonnen terreinen, geen uitnodigende tegenbewegingen, geen
maandenlange nasleep en doorwrochte nabeschouwingen, geen
wrevel, geen onverkwikkelijke ontboezemingen, geen ijlingse
doorhalingen en inhaalmanoeuvres, geen vruchteloze weerstand,
zelfspot en achterhoedegevechten, geen wisselwerking en
machtsvertoon, geen wetenswaardigheden en
geheimhoudingsplicht, geen schaapachtige toenaderingen en
onverdiende tegemoetkomingen, geen macabere bijkomstigheden
en onverhoopte toevalligheden, geen veeleisende
vertegenwoordigers van kleine, nog niet goed uitgekristalliseerde
godsdiensten, geen verderfelijke onoordeelkundigheid, geen
eenduidige toerekeningsvatbaarheid, geen beperkte middelen en
geruststellende onervarenheid, geen ongevraagde tussenkomst van
overwerkte deskundigen, geen morbide verdraaiing van
feitelijkheden, geen zedenprekikers en loslopende weduwnaren,
geen handenwringende hulpverleners en obligate toeschouwers,
geen afgevaardigden van rampspoed, mateloosheid en ruggespraak,
geen willekeurige verzoekingen en doorslaggevende verplichtingen
van een onsmakelijk soort, geen bemoedigende woorden, geen
zinnige bedenkingen, geen zwoele bijgedachten, geen uitvoerige
tegenvoorstellen, geen aanmoedigingen uit onverwachte hoek, geen
vingeroefeningen, geen aanvaarding van het onvoorziene, geen
ongemerkte, maar welkome afwijkingen van de norm, geen
lippendienst, geen zeggingskracht, geen oponthoud, geen
opwinding, geen tikkende tijdbommen zonder tijdmechanisme,
geen belangenverstrengeling en halfzachte berusting, geen slik,
geen slijk, geen sleeptouw, geen slaafse navolging, geen slepende
kinderziektes en slopende ouderdomskwalen, geen heulen met
slinkse intriganten en zich over onrechtvaardigheid verkneukelende
omstanders, geen terneergeslagen muggenzifters, aangeslagen
boezemvrienden, nuchtere minnaars en vindingrijkekwelgeesten,
geen spontane woede-uitbarstingen, eigenwijze uiteenzettingen en

laatdunkende spitsvondigheden, geen tevredenstemmende
sterfgevallen, geen vulgaire geloofsopvattingen, geen obscene
stopwoorden of gezwollen toverspreuken, geen geprononceerde
geslachtskenmerken en significante krachtsverhoudingen, geen
bezwaarlijke prijskaartjes, geen waarborgen, geen eindoordelen,
geen nalatenschap, geen leedwezen, geen sluipwegen, geen nare
nasmaak, geen noodkreten en onafwendbare angstaanvallen, geen
aaneenschakeling van ironische dreigementen en vage toespelingen,
geen kil opportunisme en overhaaste beslissingen, geen
onvoorbereide en frivole gedragsveranderingen, geen liefdeloze
wilsbesluiten en inhumane houdbaarheidsdatums, geen
dogmatische hulpeloosheid, geen abjecte praatjes, geen peilloze
slechtheid en leerstellige goedheid, geen vertrouwelijke
strooptochten, geen weinig verheffende tonelen en hachelijke
ondernemingen, geen agressief Fingerspitzengefühl, geen
klakkeloos vijandbeeld, geen fijngevoelig verzwijgen van het
onbestaanbare, geen hier, nu, zo meteen of elders, geen hemelhoog
zelfvertrouwen, geen overijld zelfonderzoek, geen
middelpuntvliedende logica en uitputtende waansystemen, geen
verkennende vredesbesprekingen, geen voorlopers van het
definitieve einde van onze wereld, of toch, misschien, één voorloper,
klein en een beetje reddeloos, o voorloper, parmantig, kittig,
sprieterig en amechtig voorlopertje, struisvogeltje met je
rooskleurige kopje bij voorbaat al in het meedogenloze zand...
Pats!

Daar komen twee meisjes, mooi als koren, als korenaren nog net
niet rijp en eigenmachtig, ze buigen zich voorover in de
geheimzinnige wind van de verleidelijkheid, trappen vliegensvlug
hun schoenen uit, hun kousen, hun jurken, strooien zand in ogen,
verven zich blauw en ontregeld, kijken om zich heen en zien
velden met klaprozen en boterbloemen en overal distels en
jongens en dovenetels en mannen en duizendschoon,
zilverschoon...
Pats!
En daar komen de seksueel ondefinieerbaren, de tallozen, hoor ze
kreunen als wilgen in de wind, zie hoe ze zich in bochten
wringen, een akelig gilletje slaken en onomwonden klaarkomen in
voorbarige zakdoekjes, washandjes. Waren zij nog maar twaalf,
stoorde een genetisch aangestuurde stoorzender hun gedachten
nog maar niet. Konden ze hem maar uitzetten, nu!
Pats!
En daar komen zij die geen alibi hebben, geen motief, geen
schuld, geen berouw, geen strafblad, geen medeplichtigen, geen
getuigen, geen ongelukkige jeugd en het DNA van een hond.
Pats!
Daar komen de missionarissen van de spraakverwarring,
zwetende dekhengsten in schaapskleren, apostolisch uitvaagsel,
God in hun kleverige zaadlozingen verzopen, hun aktetassen vol
pamfletten met plaatjes van opzienbarende hemelvaarten en
eschatologische kleinzieligheid, ze hebben hun geloofwaardigheid
al ingepakt, gefrankeerd en opgestuurd – adres bekend!
Pats!

De wereld wankelt, mijn wereld, maar houdt zich net nog staande. De wereld moet wel. En daar komen twee mannen – jongens nog – broers wellicht – die zich verlagen tot vernielzucht en platte eigenliefde, ze kijken aandachtig om zich heen – zien hun vader, slungelig, kaal en verwaterd – ze brullen: 'Wraak! Wraak!' en slaan elkaar dood – en niemand kan zich een dag herinneren waarop zij elkaar niet doodsloegen, niet begroeven, geen verwijten omhoogslingerden de profane hemel in en niet hun kleren verscheurden van smart, beklemming en inkeer – ze halen hun wilde, onherbergzame schouders op en kijken nog eenmaal om – zo bezegelen zij hun lot, terwijl hun vader hen volgt. Pats!

Daar komen zij die met een brok in hun keel hun deelneming betuigen aan hen die zij misbruiken: 'Wees ons maar erkentelijk, wij vertrappen jullie zo structureel en afdoende mogelijk om jullie leed bespreekbaar te houden en jullie welzijn obsoleet en ongeoorloofd, het is niet anders, wij moeten wel, het is onze familiaire onrust en daadkrachtigheid, onze teugelloze geldingsdrang, wij rekenen erop dat jullie binnen de kortste keren over jullie ontroostbaarheid heen zullen stappen en waardering voor ons zullen hebben, zie ons als de godgegeven cipiers van jullie pijn, want jullie pijn mag niet ontvluchten, jullie pijn heeft levenslang, dat begrijpen jullie toch wel?' Zij voeren snoepjes aan de hartverscheurende meisjes aan hun hand, tranen biggelen over hun wangen, ze zijn zo attent, zo onpartijdig en zo openhartig. Pats!

Er ontstaat rumoer, er komen terminale grootgrondbezitters en vastgoedhandelaars, met ingevallen gezichten, op een heilloos sukkeldrafje, als slachtvee op weg naar het abattoir, ze sidderen, zwaaien met hun laatste aandelen en obligaties en schreeuwen, als uit één doodsbange mond: 'Help! Help!', maar een dienstdoende, door de overheid benoemde en goedbetaalde, regionale helderziende sust ze, vermaant ze: 'Weest u toch sereen en bewaart u toch uw evenwichtigheid, denkt u toch aan uw vroegere landgoederen en vrouwen en uw lange, avontuurlijke reizen op de verraderlijke hoogvlakten van de goudprijs, het duurt nog slechts een oogwenk, ik voorzie, ja, ik voorvoel, of liever: ik registreer reeds dat uw laatste snik – wanneer uw levensgeesten wijken en de dollartekens in uw ogen verbleken – één lang aangehouden dissonant van grote en indringende devotie zal zijn.'

Pats!

Daar komen de oplichters, de vleiers, de verklikkers, de verraders en de valse raadgevers, ze rennen alsof ze willen slenteren, ze fluisteren alsof ze willen schreeuwen, ze zijn zojuist in schijn herboren uit rampzalige jaren van onbetamelijkheid en handtastelijkheden – dat nooit meer! – ze jubelen alsof ze hun beklag doen over het kortaangebonden pessimisme van hun moeder, o hun moeder, hun prinses van de wildernis, hun afgrond, hun erbarmen, hun vertederend prikkeldraadversperrinkje, hun stroperige noodlot, weersomslag, weeffout in het bruidskleed der voorzienigheid, o onstuimig, dapper, adembenemend, wormstekig, zoet moedertje van ons... ze zien haar voor zich en aaien haar, kussen haar en gooien haar dan met een norse zwaai weg, ze hebben meer te doen...

Pats!

Moedermoorders! Luister! Nu is het jullie beurt!

Pats!

Daar komt een meisje op de rug van een als de Heilige Antonius van Padua vermomde cherubijn. Ga terug! Jullie moeten hier niet zijn! Ga terug! Ga nu terug! Ze horen mij en gaan terug. Godzijdank. En na hen komt een spichtige, hoogbejaarde man, grijs en gebocheld, met in zijn hand, in zijn perkamenten, nauwelijks nog bruikbare hand een kleine, bloedbevlekte doek, die wit zou moeten zijn, waarmee hij pathetisch zwaait. Hij smeekt om vergeving, hij heeft invloedrijke vrienden, bankrekeningen, voorspraak... Er is geen tijd meer voor afwegingen en uitstel. Het leven is een warwinkel. Meeuwen cirkelen rond, krassen, krijsen, een noodklok luidt.

Pats!

Daar komen zij die zichzelf feliciteren met hun bescheidenheid, hun terughoudendheid, hun goedgeefsheid en hun belangeloze oprechtheid, die zichzelf hartverwarmend en benijdenswaardig noemen en zachtjes voor zich heen fluisteren, als niemand hen kan horen en hun hart nadrukkelijk bonst: 'Maar de dag komt waarop ik, ik...!'

Pats!

Die dag is nu, dat blijkt wel. Maar die bescheidenheid waarmee zij zichzelf feliciteerden, was dat wel bescheidenheid? Was dat geen inheemse huidziekte met blaren en rhagaden en cyclische ontvellingen? Feliciteerden zij zich niet met hun ongeluk, zoals een gevangene zich feliciteert met de tralies voor zijn raam? Was dat ongeluk allengs niet onmisbaar geworden, of zelfs een zegen? En weer die noodklok. Die nu lijkt op te roepen...

Dong! Dong! Dong!

Daar komen de glorieuze, hartveroverende hypochonders, de een
nog zwaarmoediger dan de ander, hun kwalen kostbaar als
duizend jaar oude porseleinen schalen, hoor ze kwetteren: 'Er
huist een dwerg in mij, Kwaad Indezin, hij stookt mijn
ingewanden, hij rookt mijn klieren, hij heeft het altijd koud.'
'Maar ík ben al jaren opgegeven, vergis je niet, ik ben een
medisch raadsel, ik ga onstuitbaar achteruit – als een speer,
hoorde ik ze pas nog zeggen – professoren van naam en faam
zullen mij persoonlijk ontleden, ze kunnen niet wachten tot ik
dood ben, ze popelen al van verbijstering over wat zij zullen
aantreffen.' 'Maar ík, ik ben al dood, het heet alleen nog anders.'
Pats!
Daar komt één enkele oude man, praatziek en stram, grossier in
dooddoeners en gespeelde verbazing, hij richt zich nog één keer
op en schreeuwt: 'Ha! Daar is hij! Mijn dood! Mijn trouwe
metgezel! Werd je soms opgehouden? Alzheimertjes? Dronken
chauffeurtjes? Of heb ik je ergens in tekortgedaan? Ben je weer
eens in je aangebrande wiek geschoten? Mijn god, wat heb ík
lang op jóú moeten...'
Pats!
En op een wit paard, met een blinddoek om, alsof hij recht gaat
spreken... hij die verkwanselt, verbeuzelt en te gronde richt – ik
ken hem maar al te goed – en op zijn schouder, als een schrille
aanklacht: zijn hemelbode, zijn gewetensnood.
Pats!

Het is ochtend, het lijkt wel altijd ochtend te blijven, de zon
breekt door, de grond dampt, er ligt dauw op het gras, glooiende
velden strekken zich uit tot de horizon, spinnen maken zich
klein in een hoek van hun glinsterende web, leeuweriken
klauteren omhoog, en er wordt gezongen, luister, mannen
in lange, karmozijnrode mantels komen op, een illuster koor,
donkere stemmen: 'Onze tijd komt, niet de Uwe...', maar het is
al te laat, de eersten vallen terzijde, bloed stroomt uit hun mond
en nog zingen zij, rochelen zij meerstemmig en verlangen zij
– het zijn hun laatste gedachten – naar vergevingsgezinde
vrouwen die stralend naar hen opkijken en hun kinderen willen
dragen, zij stamelen: 'Verlos U zelf maar van Uw perverse
ondoorgrondelijkheid, Uw gemelijke bloedvergieten, Uw sacrale
wanklanken en wanbesef...' en de zon met zijn gloeiende intuïtie
en zijn moordzuchtige intenties schijnt maar en schijnt maar op
hen neer, hun mantels lijken wel vlam te vatten en hun stank
verdringt de geur van seringen en pasgeboren kinderen, een
slechtvalk stijgt op en overal schieten er vrouwen, frêle, immorele,
onverbeterlijke vrouwen, als lucide paddenstoelen uit de grond.
Pats!
En daar, daar komt een tijger! Nee, een man, nee, een vrouw, nee,
een meisje, nu zie ik het, een door het natte gras sluipend meisje,
met fonkelende ogen en alle honger van de wereld, ze wil
veroveren, ze wil verslinden, ze wil nagenieten, ze springt...
Pats!

Daar komen zij die achter de feiten aan hollen, ze bijna inhalen, hun feiten! hun wettige hersenspinsels! hun rozengeur! Zie hoe ze loskomen van de grond, hun vleugels uitslaan en rakelings langs de grenzen van de hysterie scheren, loerend op een gat in de blijmoedige omheining.

Pats!

En daar komen zij die houden van de lucht van hun eigen volk, hun volk dat ontwaakt, zich uitrekt en in de wasbak pist, dat zijn kleren van de vloer opraapt en tegen zijn neus houdt, nog één dag? nog één dag, hun volk dat zweert bij kuddegedrag en spreekkoren, dat snakt naar represailles en georganiseerde geweldpleging, dat zijn knikkende knieën kunstig camoufleert en ronkend van bekrompenheid flaneert langs de nauwe straten van de vergeetachtigheid, hun volk dat grient om zijn kinderen die 's nachts op het slaperige slagveld van de begripsverwarring sneuvelen en met brekende ogen nóg over onrecht en zelfverrijking zemelen, hun volk dat zijn gerief vindt bij schransen en verkrachten en dat op gezette tijden op eigen verzoek aan het gietijzeren kruis van de naijver wordt genageld om zijn rancune uit de klauwen van de vanzelfsprekendheid te redden, hun volk van doorgefokte rotweilers, gedrogeerde schoothondjes en waakzaam schorem.

Pats!

Kwaad denkt, kwaad spreekt, kwaad geschiedt.

En daar zijn mijn idolen, hun wil een warnet van vermoedens, hun misstappen buitensporig, oogstrelend en onherstelbaar, hun geschriften tintelend, logisch, onontcijferbaar, onverantwoordelijk, welgemoed en monomaan. Mijn troost zijn zij, mijn grote troost en zenuwpijn.

Pats!

Twee mannen blijven staan, mannen die van elkaar verschillen als de ene graspriet van de andere. 'Dit weet ik,' zegt de een, 'er kleven onoverkomelijke bezwaren aan gelukkig worden en gelukkig zijn.' De ander knikt: 'Geluk is een blamage.' De eerste druppels van een klein, genadeloos regenbuitje vallen, ze maken aanstalten een paraplu boven elkaars hoofd te houden, ze zwijgen, ze denken aan vrouwen.

Pats!

En daar komen de alleenzaligmakenden, zij die hun volgelingen aansporen toevallige voorbijgangers luchthartig om de hals te vallen, inwendig te betasten en uit te roepen dat het koninkrijk dat komt met achterstallig onderhoud en braakligging heeft te kampen en dat boetedoening het probleem is en niet de oplossing.

Pats!

Daar komen zij die neerkijken op anderen, die schofferen en stigmatiseren, snoeven en bluffen en uit de grond van hun hart verachten en verafschuwen en die naar iedereen die in hun blikveld komt met hun geaffecteerde falsetstem roepen: 'Hé, u daar... ja u met dat nogal debiele voorkomen... mijn god, wat ziet u er komiek uit... weet u, ik heb iets voor u. Wilt u hier even tekenen voor ontvangst?'

Pats!

En daar komen zij die overal altijd naast grijpen. Maar niet naast de dood!

Pats!

Daar komt een vrouw, ze is nog jong en oninwisselbaar, zoals
alleen vrouwen jong en oninwisselbaar kunnen zijn, ze dacht dat
ze een bloem was, iedereen noemde haar een bloem, een lelie
onder de heesters, ze houdt haar handen tegen haar hoofd, er
wordt in haar uitgebroken, afgebroken, er vallen gaten in haar,
puin stapelt zich op in haar en een man en kinderen komen achter
haar aan, roepen: 'Breek iedereen af, maar niet haar!' Ze valt in
stukken uit elkaar.
Pats!
En daar komen zij wie alles is ontnomen, zie ze sloffen, hoor
ze zaniken dat ze onwaardig zijn en schandaleus, maar niet...
'Maar niet wat?', welgestelden roepen hen ter verantwoording,
maar ze luisteren niet, eten brandnetels, wijnslakken, drinken
levertraan, houtgeest, bitterwater, brommen binnensmonds:
'Maar niet niks.'
Pats!
Daar, dat is de tegenzin op een vooroorlogse damesfiets, de wind
in haar gezicht, haar goudkleurige japon slepend over de
modderige grond, zij houdt haar trappers stil: zij is gearriveerd...
Kijk, zij schudt haar hoofd over mij, het lijkt mijn moeder wel!
Ze wil dat ik verlegen ben, verweesd en onvoldaan. 'Ga weg, ik
doe mijn werk, geen letter meer dan dat!' zeg ik - o nee, nu ga ik
te ver. Zij gaapt: 'Ik dacht dat jij...' Ze zegt niet wat en stapt
weer op. Zij is mijn spiegelbeeld. Zij vergelijkt, zij scheldt niet
kwijt.
Pats!
Ik rook in arren moede één sigaret - na zoveel jaar - een Bond
Street met zijn ranke paarden - en denk aan de steppe, ik ben een
voorafschaduwing, een ijlbode die zijn boodschap is vergeten, en
zijn bestemming ook, ik ben een sluimerende mensenzee.
Pats!

Maar daar komt een rechtschapene, eindelijk!, een die zich verzet, die verloren heeft, maar zich niet gewonnen geeft – dat nooit!, een schamele halo om zijn vaalgrijze hoofd en overal schaafwonden en bloeduitstortingen, met zijn hakken in het zand, nauwverholen, strijdbaar, slagvaardig en trots, zo hoogstaand, zo unverfroren en zo trots... 'Maar ik...!'
Pats!
Een grote, niet nader te omschrijven, in nevelen gehulde man, dromer, doener, komt dichterbij en staat stil, doet een knieval en roept luidkeels dat hij wroeging heeft – 'Wat voor wroeging?' vraagt een stem, 'Paroxismale wroeging.' 'Wat is paroxismaal?' 'Vlijmscherp, aanvalsgewijs.' 'Wroeging waarover?' 'Ik weet het niet,' zegt hij, 'maar ik voel het, het bijt in mij, knaagt in mij', en hij staat weer op, die man van bijgeloof en verontrusting, van bedrog en grondigheid, van sprookjes en heiligschennis, blaast een vliegje van zijn jas en begint te zingen, zingt van vroeger, van zijn moeder en een wilde tuin en haar dood, lang geleden, maar nooit uit zijn gedachten, zingt als een merel in februari in het licht van de ondergaande zon, terwijl het steeds luider knerpt en sist en wriemelt en sijpelt in zijn bouwvallige, permanent op instorten staande ego, en gaat weer verder.
Pats!

Daar komen zij die zichtbaar zijn aangedaan en ervan zijn
doordrongen dat zij zich dood lopen en dat hun beschermengel
geen engel is, maar een gevleugelde luis die zich te buiten gaat
aan paniek, scherp als zoutzuur, in de vochtige plooien van hun
gemoed.
Pats!
En daar zijn zij die de leemtes in hun denkvermogen opvullen
met drogredenen en wangedachten, die hun kinderen in hun
gevoelvolle godvrezendheid een gezegende verstandsverbijstering
toewensen en hun katten liefkozend elektrocuteren in nachten
van slapeloosheid en wraakzucht.
Pats!
Daar zijn de ongeschoolde gewichtigdoeners, ze komen naakt en
buiten adem aangedraafd, ontketende zondaars wegvluchtend uit
de telkens weer oplaaiende resten van hun vlammende
zondagochtenden vol vrijwillige compassie en kleine, paulinische
speldenprikken – alsof er een hand door de wolken wordt
gestoken, die naar hen grist en graait, Zijn hand, Zijn
onverzettelijke, uitgemergelde hand...
Pats!
Luister, er komen stemmen, louter stemmen – ze komen snel
dichterbij, nu zweven ze om mij heen, ze zijn overal, nu kan ik
ze ook verstaan, mijn innerlijke stemmen, jullie... wat willen
jullie van me? Ik luister, ze bijten me toe: 'Ach, laat dat Pats! toch,
alsjeblieft! Doe niet zo dwaas. We zijn al dood. Dat weet je best.
We hebben ons toch doodgeschaamd? Je zegt het zelf!'
Pats!

Een bliksemschicht! Een man alleen, bezweet, fel verlicht, valt neer, zijn kern verschroeid.

Pats!

Maar uit zijn as, klapwiekend, wegvliegend, als een schuimbekkende albatros op de onmetelijke enzovoort enzovoort...

Pats!

Ik weet het. Niemand heeft de sleutel van de enige poort, niemand ontmaskert zichzelf, niemand kiest voor zichzelf als lachende derde, niemand steekt zijn hand uit naar onze afschrikwekkende warboel, onze schrijnende onmacht, onze stijlloze enghartigheid, niemand is niemands liefste, niemand zeurt en mort en sputtert voor de zoveelste keer: 'O nee, o nee..!'

Pats!

En daar komt zij die mij opeist, uitbuit, afbrandt en altijd weer voorzegt, mijn muze, mijn sterre van drijfzand en kortsluiting, van onderlinge verschillen en tegenstellingen, van schaamte en overleving, mijn noodgedwongen voorschot op afbraak en verval, mijn ongeleid lichtpuntje en hardnekkig minpuntje, zij frommelt aan de rafels in haar korenblauwe omslagdoek en hunkert naar warmte en warmte hunkert zo naar haar...

Pats!

En daar, vlak achter haar, die man, die nu heel dichtbij is, die gewillige, zachtzinnige, loslippige, misprijzende, afzijdige, goedaardige, lichtvaardige, aimabele, onderhoudende, afwachtende, trouwhartige, weetgierige, vriendelijke, toeschietelijke, veelzeggende, voordehandliggende, brave, gedienstige, eentonige, onbesproken, nietswaardige, ondoelmatige, onzakelijke, verwoede, vastgeroeste, stijve, tegenstrijdige, lijdzame, lichtvoetige, liefdevolle, onopvallende, afstandelijke, ondoordachte, behoedzame, berekenende, oppervlakkige, veranderlijke, zelfzuchtige, onrustige, ongeduldige, vrijblijvende, ijverige, leergierige, overmoedige, zorgeloze, trouweloze, gelijkmatige, ongevaarlijke, onbruikbare, onduidelijke, onuitgesproken, zwaartillende, vrijzinnige, onoverzichtelijke, zoetsappige, lakse, zwartgallige, schrikachtige, onhandige, ontvankelijke, onzorgvuldige, aanstellerige, prikkelbare, ergeniswekkende, overgevoelige, zachtaardige, dwangmatige, rechtvaardige, ouderwetse, ernstige, povere, stugge, gereserveerde, larmoyante, onverstandige, wrevelige, treurige, schuwe, schuldbewuste, besluiteloze, begerige, beminnelijke, welwillende, inschikkelijke, toegeeflijke, droefgeestige, boetvaardige, bangelijke man, dat lijk ik wel!
Pats!
En daar, die vrouw, die vrouw zonder aanknopingspunten, dat is mijn schikgodin, die knipt met haar vingers. Kijk maar. Hoor maar.
Klik!

En daar... wie zijn dat... opdoemend uit de mist van het geregisseerde geheugenverlies, uitgedroogd, beschimmeld, met stomheid geslagen, waggelend, vallend, teruggekeerd uit het grote, onafzienbare stilzwijgen, jarenlang op de bodem van een rivier gelegen, in een gelukzalig ravijn met een kogel in hun nek, half vergane klemmen en elektrodes bungelend aan wat er nog over is van hun lijf – ga niet verder! ga naar huis! jullie hebben nog een heel leven tegoed! jullie moeders gaan nog altijd in het zwart, ze missen jullie, wachten op jullie! En daar, achter hen, het enige, echte, authentieke tuig, V. en P. en Z., met hun aangeboren welgemanierdheid, hun geüniformeerde hondentrouw aan een geniepig, respectloos, kleinburgerlijk en vuilspuitend opperwezen, lopen jullie maar door! mensen, jullie zijn allemaal mensen, mensachtige mensen, jullie leven nog, maar de wind van de vergelding steekt op, voel maar, neemt tot orkaankracht toe en jaagt jullie voor zich uit, alleen de weeë geur van jullie angstzweet zal hier nog lang blijven hangen, o mensen, wisten jullie dat soms niet: jullie zijn ook mensen! maar nu niet meer: Pats!

Wat ben ik nu blij! Nooit klonk een echo mij zo mooi in de oren: Pats... pats...

En daar komt een meisje in een witte blouse en een dunne, lila rok, een schelpenketting om haar hals, de laagstaande zon in haar gezicht - het lijkt wel of ze in lichterlaaie staat - ze kijkt om zich heen, zoekt iemand die zij wil kussen en zachtjes in zijn oor wil bijten en tegen wie ze dan zal zeggen, als ze het durft, dat ze nog nooit iets zeker heeft geweten, maar nu wel en dat is dat zij heel, heel veel van hem... en dan niet verder kan, dát woord! dat onbescheiden, ongewisse, kernachtige, uitdrukkingloze, onbeschaamde, maniakale, spaarzame, ontzagwekkende, transcendente, benauwende, grillige, kinderachtige, suikerzoete, overtrokken, koppige, oneindig geschakeerde, door onjuist gebruik onklaar geraakte, verstrekkende, telkens weer onverhoeds toeslaande, levensgevaarlijke, zwaarwegende, stompzinnige, buitenissige, efemere, virulente, koortsverwekkende, allesverlammende en toch onvoorstelbaar geneeskrachtige woord, ze kijkt en kijkt en ziet mij niet - 'Hier ben ik! Hier! Hier! Je hebt het tegen mij!'
Pats!
Misschien zag zij mij nog, dacht zij nog... Ik ben een moedeloze duizendpoot, geen mens... Maar daar komen de geschiften en geschondenen, hun karige brein blijvend ontregeld en verwrongen, zij die de dood bestuderen als hilarische onderbreking van hun ontreddering, hoor ze roepen: 'Kom maar op met je Pats!'
Pats!

En daar zijn eindelijk, eindelijk de breedsprakigen – nakomelingen
van de avant-garde – die hun maatschappelijk bewustzijn
ontlopen en hun werkelijkheidszin ontzien, zie ze zwalken, hoor
ze lispelen: 'O Zot, Uw onwaarschijnlijkheid grenst aan
onfatsoen, onze oren suizen, onze ogen zijn troebel van
stijfkoppigheid, onze tanden stomp van stroopzucht en
overdaad, onze tong rul van tweedracht en overdrijving, U
schaadt ons, schendt ons, onderschept ons en onderschat ons,
maar geef ons heden toch maar Uw veronderstellingen en
gevolgtrekkingen en bespaar ons Uw onkunde en Uw waagschaal
en Uw ondeugdelijke daglicht...'
Pats!
En daar, ten langen leste, zijn zij die terugverlangen naar de stilte
voor een storm, naar donkere onweerswolken, een zwerm
opvliegende kraaien, jongens die op een veldje voetballen, hun
moeder die haastig de was binnenhaalt, de ramen sluit en hen
roept en nog eens roept:
Pats!
Daar komen nog twee vrouwen – het wordt al laat – in modieuze,
nauwsluitende roodfluwelen jurkjes, met vuurrode lippen,
bloedkoralen kettingen om hun hals. Ze staan stil, ze fluisteren:
'Laten we doodgaan, we zijn nu nog jong...', ze leggen hun armen
op elkaars heupen, hun hart klopt in hun keel, ze willen elkaar
zoenen, ze fluisteren: 'Of zullen we eerst...'
Pats!
En daar komt de verongelijktheid, de onbetwiste meester van al
ons streven, in een korte broek en zo onredelijk, zo alleen...
Pats!

En kijk, wie komt daar, het lijkt wel de ouderdom, mijn ouderdom, hier ben ik! Hij hoort mij, komt naar mij toe, maakt een kleine, krakkemikkige buiging voor mij, o ouderdom, hongerige machthebber zonder macht, bittere bedelaar zonder één aalmoes aan het eind van je dag, stereotiepe laatbloeier zonder geur of kleur, verliezer zonder rivalen, in je jas waaraan elke knoop ontbreekt, met je afgetrapte schoenen en een afwezige blik in je ogen... hij wil met mij dansen, de ruïnes van mijn geheugen in, een pas de deux! Maar ik kan niet dansen, ik kán het niet! Hij grijpt mij beet, trekt mij overeind, ik zwik door mijn enkels. Hij laat mij weer los, danst alleen, rusteloze ouderdom van mij, een pirouette, een frappé, een spagaat, hij scheurt in tweeën, en ik, ik...

Pats!

Er knarst iets, een hek misschien, en een stem zegt: 'Wie volgt?' en overal vandaan komt het schoorvoetende antwoord: 'Ik.' 'En ik.' 'En ik waarschijnlijk ook.' Doorweekte stervelingen, daklozen van het nieuwe Jeruzalem, kruipen uit het dichte kreupelhout, stommelen in de voorgeschreven richting, kopschuwe eenlingen zonder glans, schuifelen achter elkaar aan, houden elkaar vast, een eindeloze rij, tot de stem zegt: 'U bent er', en ze omhoogkijken en langzaam intoneren, alsof ze hun gedweeheid consacreren: 'Dat is goed...'

Pats!

Waarom ben ik niet een van hen?

'Maar je bent een van hen!'

Pats!

Ik knijp in mijn arm. Au. Ik spits mijn oren. Een nieuwe stem. Geen stem, sonoor gegrom... dat is de eenzaamheid... die solt met de dood en mijn gedachten... mijn bodemloze vriend, mijn pathologische afgezant naar de realiteit van elke dag, hij die mij nodig heeft en mij alle hoeken van mijn verstand laat zien... luister, hij lijkt wel te klappertanden, hij heeft natuurlijk weer eens koorts, hij is zoals gewoonlijk weer eens aan het sterven, kijk, nu komt hij tevoorschijn, ziet mij, roept mij: 'Mijn dokter, genees mij...!' Ik schud mijn hoofd, ik ben zijn dokter niet.

Pats!

Daar komen zij die leven zonder ophef en opschudding en doodgaan zonder opgaaf van redenen, die hun grenzen millimeter voor millimeter verleggen, nooit wetend waarheen, die hun oordelen opschorten en hun beginselen hebben gezuiverd van ongerechtigheden, die hun misslagen erkennen en zich hebben verzoend met hun breekbaarheid en allesomvattende onwetendheid, die 's nachts mijmeren over ongrijpbaarheid en schroom, en die toch...

Pats!

Ik sla mijn ogen neer. O onafscheidelijke splijtzwam van mij, in je groezelige jurk, zinnebeeld van disharmonie, schuldgevoel en ontroering, arme ziel, arme, oppermachtige ziel, waarom begrijp je mij niet, begrijp je mij nooit...?

Pats!

En daar, daar komen de laatste nog ongeborenen met hun donzen
kuikentjes, wollen eendjes, pluchen beertjes, juten geitjes, zijden
dolfijntjes, kanten kameeltjes, linnen leeuwtjes, leren haantjes,
vilten schaapjes, tulen muisjes en inktzwarte mieren van
verfrommeld papier.
Pats!
Alleen een duif is nu nog onderweg, de witte duif van de
onverschilligheid.

(zag zichzelf als een reusachtig, met de dodelijkste wapens
bewapend leger aan de vooravond van een nederlaag)

Uitgeverij Querido stelt alles in het werk om op milieuvriendelijke en duurzame wijze met natuurlijke bronnen om te gaan. Bij de productie van dit boek is gebruikgemaakt van papier dat het keurmerk van de Forest Stewardship Council (FSC) mag dragen. Bij dit papier is het zeker dat de productie niet tot bosvernietiging heeft geleid.